崩れゆく韓国

あの国をダメにした五つの大罪

井沢元彦
Motohiko Izawa

ビジネス社

まえがき

韓国という国、これに北朝鮮も含まれますが、われわれ日本人にとって実に「やっかいな隣人」です。

こう言うと、すぐにそれはかつて植民地支配をした日本の責任である、と声高に主張する人たちがいます。たしかに、これはでたらめとは言えません。詳しくは本文を読んでいただきたいのですが、日本にまったく責任がなかったとは私も言いません。だからと言って戦後の、そして現在の韓国の国としての「生き様」は実にひどいものですし、この状況を把握し批判するのは当然のことなのです。

これは対日関係に限りません。

実は韓国は民主主義国家とはとうてい思えないほど独裁国家である北朝鮮への親愛感が強く、これに辟易したアメリカ合衆国も韓国を見放しつつありますし、世界の国家の中で嫌韓の動きが大きく広まりつつあるのです。

パラオ共和国という国をご存じでしょうか。二〇一五年に当時の天皇皇后両陛下が、太平洋戦争の激戦地でもあったこの国に慰霊の訪問をされました。そのときの歓迎ぶりは、ニュースになったから覚えておられる方も多いのではないでしょうか。

もともと第一次世界大戦後から一九四五（昭和二〇）年まで日本が統治した場所でもあり、その間日本はインフラの整備、産業の開発、教育の振興などこの地域の発展に大いに貢献しました。そのため、昔から日本に大きく感謝していた国ではありました。

しかしそれが今、ちょうど世界一の親日国とも言ってもいい台湾にも勝るとも劣らないほどの親日国になったのは、ある事件があったからなのです。

それは一九七七年のこと。パラオ共和国の中核をなすコロール島とバベルダオブ島を結ぶ橋が建造されることになり、各国のゼネコンによる競争入札が行われました。パラオと縁の深い日本からは鹿島建設が参加したのですが、そこへ割って入ってきたのが韓国のＳＯＣＩＯというゼネコンです。これが業界の常識では考えられない鹿島の入札価格の半額で入札してきたので、パラオ政府は喜んで韓国企業に工事を任せました。

ここまで書けば多くの読者は、もう見当が付くのではないでしょうか。この橋はとんでもない手抜き工事で造られたのです。その結果、完成直後から不具合が生じ途中莫大な費用をかけて補修しましたが、結局一九九六年に橋は真っ二つに割れてしまい二名が死亡しました。橋を造ったことによって水道や電気といったライフラインもこれで連結されていたため、政府は緊急事態宣言を発令するほど重大な危機に陥ったのです。しかし韓国は、企業も政府もまったく責任をとろうとしませんでした。

救いの手を差し伸べたのは日本です。SOSを受けた日本政府がODA(政府開発資金)の資金を拠出し鹿島建設が施工して(つまり事実上無償で)新しい橋が建設されました。ちなみにこの時、韓国企業が造った橋の土台等は、あまりにも劣悪な材質のコンクリートを使っていたため使いものにならず、結局ゼロから橋を造り直さざるを得なかったといいます。

こういうことがあったからこそ、パラオは大の親日国になったのです。今この橋は「日本・パラオ友好の橋」と呼ばれています。

さて冒頭で、「韓国の国としての『生き様』は実にひどいもの」だと私は述べました。おそらく、この言葉に反発を覚えた人もいるのではないでしょうか。では、このパラオの話を読んだ今もそう思いますか？

実は韓国の手抜き工事でひどい目に遭（あ）ったのはパラオだけではありません。そんなことはネット等でお調べになればすぐにわかることですが、問題はたぶん「あなた」はこの話をご存じなかっただろう、ということ。そして、その原因は日本のマスコミが伝えるべき情報を国民に知らせていないということにあるのです。

日本のマスコミの大半は韓国の非行をほとんど伝えていません。古い世代のマスコミ人には、ひょっとしたら韓国に対する贖罪（しょくざい）意識があったのかもしれません。しかしマスコミ人は、何があろうと忖度（そんたく）せずに真実の情報を国民に伝えなければいけないのです。

中年以上の方は思い出してください。かつて、こういう人々は「ソビエト連邦は労働者の天国」「文化大革命は人類の快挙」「北朝鮮は労働者の天国」と言っていたではなかったでしょうか。

それは真実でしたか？

文化大革命は、実際には中国共産党による中国人民の〝大虐殺〟だったのではないですか？

若い人なら気がついてほしい。今、日本は北朝鮮のミサイルの射程距離にあり、北朝鮮はいつでも日本を火の海にできると公言しています。しかし、北朝鮮が最初に開発したミサイル「ノドン」は日本には届かず日本海に落ちました（一九九三年）。

この段階で様々な手を打っておけば、こんな最悪の状況にはならなかったはずです。ところが、マスコミ人の中には「北朝鮮は平和国家だ」「あれはミサイルではなく平和目的の人工衛星だ」「北朝鮮は日本人拉致などしていない」という、でたらめを叫んでいた人が大勢いました。だからこそ日本国民も判断を誤り、こうした状況に陥ってしまったのです。

国民に誤った情報を与え国民の生命と財産を危険に陥れたのだから、こうしたマスコミやマスコミ人の罪は限りなく重いのです。しかし、彼らはまったく反省していません。今テレビをつけてもそうした連中が幅を利かせているし、そうした新聞も何百万部の単位で売れています。

後世の歴史家が今の時代の日本人のことを「不良マスコミに操られていた愚かな人々」と書くのではないかと、私は心配しています。残念ながらそんな新聞、買うほうも愚かとしか言いようがありませんが。

私はこんな状況を打破しようと、小説でも『恨の法廷』という作品（近く小学館から再刊）を書き、警鐘を鳴らしてきたつもりですが、まだ目的は果たせていません。

人間にも「良い人」と「悪い人」がいるように、国家にも「良い国」と「悪い国」があります。当たり前の話ではないでしょうか。そうした「悪い国」の言いなりになっていては、いつまでたっても問題は解決しませんし、第一「その国」のためにも良くありません。

あなたも友人が道徳に外れた行為をしていたら、それを指摘し、直すように忠告するでしょう。これが本当の友好なのですが、不良マスコミの連中は友好と迎合の区別がつきません。それこそが、日本人にとっての大きな不幸なのです。

二〇二〇年二月

井沢元彦

まえがき ―― 003

第一章 日本人が知らない今の韓国の本当の姿

大罪一  歴史の書き換え

現在進行形で行われ続ける国家ぐるみの「歴史の書き換え」

第三章 恩を仇で返し続けた戦後七五年の非道

大罪三 政治的反日利用

政治と経済の両面できしむ幻想の戦後日韓共同体

第四章

韓国人を末代まで縛り続ける朱子学の呪い

大罪四

儒学・朱子学原理主義

第五章

未来のために「反日種族主義」をどう乗り越えるべきなのか

大罪五 ウソの上塗り社会

歴史の真実が次々明らかになる今こそ日本人、韓国人が持つべき視点

正しい歴史の検証を試みた『反日種族主義』の読み解き方

日韓関係年表（戦前）

一八七五年	江華島事件：測量中の日本の軍艦に対し朝鮮が砲撃
一八七六年	日朝修好条規締結：江華島事件を受け、日本に有利な条件で鎖国中の朝鮮が開国
一八八二年	壬午軍乱：朝鮮国王高宗の父・大院君の軍隊が開化派（親日派）を襲撃。大院君が一時政権に就くが、清に連行され、清は朝鮮への内政干渉を強める
一八八四年	甲申政変：開化派の金玉均らがクーデターを起こすも三日で鎮圧
一八八五年	福沢諭吉が「時事新報」の社説で脱亜論を唱え、朝鮮の近代化に見切りをつける
一八九四年	甲午農民戦争（東学党の乱）：朝鮮の暴政に対し農民が蜂起 日清戦争：甲午農民戦争鎮圧のため朝鮮の要求で日清両国が出兵。鎮圧後の朝鮮処理策をめぐり対立が高まり戦争が勃発（〜一八九五年）
一八九五年	下関条約：日清戦争の敗北により、清が朝鮮の独立を認める 閔妃暗殺：清に代わってロシアを頼ろうとした閔妃を日本側が暗殺
一八九六年	高宗が暗殺を恐れて、ロシア公使館に女装で逃亡
一八九七年	李氏朝鮮が大韓帝国と改称し高宗が皇帝に就任
一九〇四年	第一次日韓協約：財政・外交において日本人顧問が指導
一九〇五年	第二次日韓協約：日本が大韓帝国の外交権を獲得（＝保護国化） 韓国統監府を設置（初代統監・伊藤博文）
一九〇七年	ハーグ密使事件：高宗がオランダ・ハーグの万国平和会議に日本を糾弾する密使

	を送る。事件発覚後、高宗が退位させられ、子の純宗に譲位
一九〇九年	第三次日韓協約：日本が韓国の内政権を獲得し、韓国軍の解散決定 ロシア領ハルビン駅で、朝鮮の民族主義者・安重根が伊藤博文を暗殺
一九一〇年	韓国併合：景福宮内に朝鮮総督府を設置（初代総督・寺内正毅）
一九一九年	三・一独立運動がソウルのタプコル公園から全国に拡大 李承晩・呂運亨・金九らが中国・上海に大韓民国臨時政府を設立
一九二〇年	産米増殖計画がスタート（〜一九三四年） アメリカに在住していた李承晩大韓民国臨時政府大統領が上海に居住するも、内紛で失脚し翌年ハワイへ移住
一九二六年	崔承喜が渡日し石井漠舞踊研究所に参加。以後、西洋舞踊と韓国伝統舞踊を融合した独自のスタイルで世界的な評価を獲得
一九三六年	ベルリンオリンピックで、朝鮮出身の孫基禎がアジア人として初めてマラソンで金メダル、南昇竜が銅メダルを獲得
一九四〇年	中国・重慶で韓国光復軍が創設される
一九四二年	日本語常用運動が始まる
一九四四年	朝鮮人の徴兵が始まる
一九四五年	第二次世界大戦で日本が降伏し、朝鮮統治終了

日韓関係年表（戦後）

一九四五年	日本統治終了後、連合軍が朝鮮を統治
一九四八年	米ソが南北に傀儡政権を樹立：八月一五日、李承晩大統領の大韓民国、九月九日、金日成首相の朝鮮民主主義人民共和国が成立
一九五〇年	朝鮮戦争（～一九五三年）
一九五二年	李承晩ライン制定
一九六〇年	民衆デモにより政権が崩壊し、李承晩はハワイへ亡命
一九六一年	朴正熙がクーデターにより政権奪取（大統領就任は一九六三年）
一九六五年	日韓基本条約締結
一九七三年	金大中事件：東京のホテルグランドパレスに宿泊中だった金大中を韓国中央情報部（ＫＣＩＡ）が拉致
一九七九年	朴正熙暗殺事件：側近のＫＣＩＡ部長により暗殺 全斗煥がクーデターにより政権奪取（大統領就任は一九八〇年）
一九八〇年	光州事件：光州市で発生した市民による民主化運動を軍が弾圧
一九八七年	国民投票で大統領直接選挙導入が決まり、盧泰愚が当選
一九八八年	ソウル五輪開催
一九九一年	北朝鮮と同時で国際連合加盟
一九九三年	金泳三政権発足（～一九九八年）

一九九七年	アジア通貨危機発生
一九九八年	金大中政権が発足し（〜二〇〇三年）、日本の大衆文化の開放を開始
二〇〇二年	日韓共同でサッカーワールドカップ開催
二〇〇三年	盧武鉉政権発足（〜二〇〇八年）
二〇〇八年	李明博政権発足（〜二〇一三年）
二〇一二年	李明博大統領が現役大統領として初めて竹島に上陸
二〇一三年	朴槿恵政権発足（〜二〇一七年）
二〇一四年	セウォル号沈没事件
二〇一五年	日韓が「慰安婦問題の最終的かつ不可逆的な解決を確認」について合意
二〇一七年	憲法裁判所が収賄などで朴槿恵大統領の罷免を可決し、即日失職後、大統領選に当選した文在寅政権発足（五月一〇日〜）
二〇一八年	平昌冬季オリンピック開催 慰安婦問題合意に基づく慰安婦財団を韓国が解散 韓国海軍艦艇が自衛隊機へ火器管制レーダーを照射 大法院（最高裁）が新日鉄に対し、元徴用工に対する賠償を命令
二〇一九年	日本が韓国を輸出管理上のホワイト国から除外（八月二日） 韓国が日韓秘密軍事情報保護協定（ＧＳＯＭＩＡ）破棄を決定（八月二二日） 曺国法務部長官が家族の不正疑惑で就任一カ月で辞任 韓国が「ＧＳＯＭＩＡの終了通告」の効力停止を発表（一一月二二日）

第一章

日本人が知らない今の韓国の本当の姿

大罪一

歴史の書き換え

現在進行形で行われ続ける国家ぐるみの「歴史の書き換え」

戦後最悪の日韓関係の根っこにある、日本の〝洗脳〟、韓国の〝増長〟

今、「日韓関係は戦後、最悪の状況を迎えた」と言われています。なぜ、これほどまでに悪化したのでしょうか。もちろん、皆さんも報道などでご存じのように、直接の原因は韓国側にありますが、もう少し深いところにあるこの問題の本質を、まずはじっくりと見ていきましょう。

一九六五年の日韓基本条約で、日韓双方が了解・確認して完全に解決済みとしたはずのいくつかの問題を蒸し返し、自国内の最高裁判所の判決が出たからということで、国際法上も認められてきたことに対して、卓袱台(ちゃぶだい)をひっくり返すような暴挙を韓国は再度突き付けてきました。

簡単に言えば、日本が犯した過去の過ちについて、もっと金を払えと言ってきたというわけです。

「漢江(ハンガン)の奇跡」と呼ばれるほどに世界が驚いた韓国の高度成長は、日韓基本条約とともに締結された「日韓請求権協定」などに基づき、日本が支払った八億ドル（無償三億ドル＝一〇八〇億円、政府借款二億ドル＝七二〇億円、民間借款三億ドル＝一〇八〇億円、当時のレート一ドル＝三六〇円）という金を使って成し遂げたものです。

もし徴用工の問題が、あくまで韓国国内の問題として正しく認識されているのなら、先進国なみの経済国になって税収も上がったわけですから、自国の費用で解決すべきもののはずです。ところが韓国はそうはせず、日本に払えと言ってくるわけです。

これに対して安倍政権は、従来の日本政府の方針とは違って、毅然とした態度を貫きました。私はこのことを高く評価します。

なぜなら、どうして日韓関係がここまでこじれてしまったのかを考えると、日本側の態度にも大いに問題があったと思うからです。日本人が過去に韓国を併合して自国の領土としたことについて、マスコミや教育界は、国民にいたずらに罪悪感を植え付けることばかりに終始してきました。

日本が統治時代に行った悪事として、必ずといっていいほど挙げられるのが「創氏改名」です。はたしてこの政策は、絶対的な強制力をもって施行されたものなのかどうか、歴史上の一つの実例を提示して考えてみたいと思います。朝鮮人は皆一律に、日本名に変えさせられたのでしょうか。

評論家・山本七平氏の著作に『洪思翊（こうしよく）中将の処刑』（文藝春秋、一九八六年）という一冊があります。数奇な運命をたどって、第二次世界大戦の終戦とともに連合軍に処刑された軍人の評伝です。

大韓帝国末期、最後の皇帝・純宗（スンジョン）に命じられて数人の朝鮮人少年が日本の陸軍幼年学校へ留学します。ところが、留学後一年したところで母国は日本に併合されてしまい、容易に帰国が叶わなくなってしまうのですが、洪少年は勉学を続け、陸軍内で着実に昇進を果たします。

そして、ついには李王家以外では初となる中将の位にまで登りつめました。しかし敗戦後に洪は、捕虜収容所の総括責任者だとして捕虜虐待の罪に問われ、戦争裁判にかけられます。

純然たる朝鮮人であった洪が、なぜ実名のまま軍内で出世を果たし得たのか。日本名を名乗らなくても不都合はなかったのか。山本七平氏は次のように書いています。

ではなぜ彼だけが、堂々たる〝非日系将校〟という異例の存在であり得たのか。将官だったからか。「いや、そうではあるまい」。かつて帝国陸軍の大佐クラスであった多くの韓国の人は言った。むしろ逆で、この人たちこそ「あなたがたがまず率先垂範してほしい」という形の実に執拗な〝説得〟を最初に受けたという。日本側の発想は、まずトップを〝説得〟すればあとは「右へならえ」をするであろうという行き方、いわば伝統的な行き方であったから、当時少将であった彼は恰好の目標になったはずである。（略）ではなぜ彼が例外であり得たか。「いや、洪中将には、何かそういうことを言い出せない一面があった」。――この問題では多くの人が多くの意見をのべたが、その中でほぼ共通していたのがこの意味の言葉であった。

上官の命令であれば、有無を言わずに従わなければならないのが軍隊です。洪の上官は「創氏改名」を命じなかったとしか考えられないと、山本七平氏の取材に多くの人が証言しているのです。「創氏改名」が、例外なく強制力をもって暴力的に行われたとは言い難い証拠がここにあります。朝鮮名のまま、日本の軍隊で中将にまで昇進した人物がいた、ということだけは覚えておきたいものです。

このように、日本は朝鮮人を自国の軍隊に正式に入隊させ、能力を正しく評価して士官に昇進させ、ついには中将まで引き上げました。朝鮮人を陸軍幼年学校、陸軍士官学校で教育したのは、まぎれなく日本国です。

このことをイギリスと、その植民地・インドとの関係で考えてみましょう。イギリスはインド人をイギリス軍内で上官に戴くようなことは、けっしてしませんでした。インド人は、まとめて現地のインド軍に編成され、軍の高等教育の対象外でした。日本に置き換えると、朝鮮人だけで朝鮮軍を編成して戦わせたようなものです。

インド軍の士官はイギリス人が務め、インド人はどんなに優秀な人間であっても下士官止まりでした。ましてイギリス軍でインド人が将官になることなど、考えられなかっ

육군대학입학쟈로데일인쟈되는홍사익씨

拔群의成績으로
陸軍大學에入學한
名譽의洪中尉
빅々십명중에서지시험
으로데일합격된홍중위
朝鮮人後進者의龜鑑

향ᄌ됴션인 쳥년쟝교 이십팔명
즁으로부터 ᄲᅢ여ᄂᆞᆫ보병 뎨일련
ᄃᆡ부로부터륙군쳥인ᄉᆞ군근무
를명ᄒᆞᆫ홍ᄉᆞ익(洪思翊)씨ᄂᆞᆫ올
봄에륙군 대학교시발된 수험ᄌᆞ
ᄉᆞ빅명즁으로 부터다시 ᄲᅩᆸ발된
량ᄒᆞ의 셩젹자일빅ᄉᆞ십ᄉᆡᆼ즁에
참가ᄒᆞ야다시 본월에 지시험에
도우량ᄒᆞᆫ셩젹으로 통과ᄒᆞ얏ᄂᆞᆫ
ᄃᆡ씨ᄂᆞᆫ일즉이

경셩유동에 잇던유년
학교에 입학ᄒᆞ엿섯스나 맛ᄎᆞᆷ군
ᄃᆡ히산이 되엿슴으로 직시삽
쳔동무관학교에 입학ᄒᆞ야 가
지교 쳐음으로 공부를 ᄒᆞ면즁
년치 ᄉᆞ십이년 맛ᄎᆞᆷ니그학교
가폐교가되며 동년구월에 동교
싱도대부분과 ᄒᆞᆫ가지 동경에가
셔유년학교의 예비과에 입학ᄒᆞ
고일기년 수업ᄒᆞᆫ후 직명치ᄉᆞ십
삼년구월에 동교본과싱이 되엿
다그리셔 동교본과를

졸업ᄒᆞ기는 명치ᄉᆞ십
오년오월이엿ᄂᆞᆫᄃᆡ 졸업ᄒᆞᆫ던 동
시에 보병일련대부를 명ᄒᆞ야 대
졍원년십이월에 륙군ᄉᆞ관학교
졔입학ᄒᆞ야 동삼년오월에 동교
를졸업ᄒᆞ고 귀ᄃᆡᄒᆞ가 규뎡파갓
치여섯ᄃᆞᆯ간 견습사관으로 근
무ᄒᆞ엿ᄂᆞᆫᄃᆡ 동년 십이월 소
로 임관되엿다가 치하년 칠월
에즁위로승진ᄒᆞ고 작팔년에 드
되여 ᄲᅢ여나셔 인ᄉᆞ국근무를명
ᄒᆞ엿다ᄂᆞᆫᄃᆡ 씨ᄂᆞᆫ말ᄒᆞ기를 됴션
인유학생즁에도

군인지망자 가업ᄂᆞᆫ것
은난인ᄃᆡ 원래됴션인은 군인이
란것을 오히ᄒᆞ야 군인이란것은
혜젹이됴코 려랑이ᄋᆞ스런급뎨은
ᄒᆞᆫ다ᄂᆞᆫ싱각이엿다 그러나 녯날
의일이요 오날ᄉᆞ은 두뢰가맛셕
ᄒᆞ고 만은것에대ᄒᆞ야 급계와락
뎨를 뎡ᄒᆞᆫᄂᆞᆫ디로 나도ᄋᆞ뎐에ᄲᅡ락
ᄒᆞ야ᄂᆞᆫ 크게후진자를위ᄒᆞ야 말
을ᄒᆞ야두겟다 고ᄒᆞ며또이에대ᄒᆞ
야왕셰자부무관김총좌ᄂᆞᆫ말ᄒᆞ되

홍즁위ᄂᆞᆫ 됴션인 ᄉᆞ관
즁특히셩젹이우량홈으로뵈급뎨
ᄒᆞ엿다ᄂᆞᆫ것은 됴션인 후진자에
되ᄒᆞ야이우에업ᄂᆞᆫ구감ᄋᆞ라고
싱각ᄒᆞᆫ다고ᄒᆞ야 죠깃버셔말ᄒᆞ더라

洪思翊（1889〜1946）の活躍ぶりを報じた1920年12月16日付「毎日新報」紙面。

たのです。

　イギリスのやり方が植民地に対しての「常道」だったとすれば、日本はずいぶんと「常識外れ」の国だったということになるでしょう。

　このこと一つをとってもわかるように、併合して自国の国土に組み入れたことと、植民地化とは違います。その違いを明確にしないまま、ただ「日本は悪いことをしてきた。だから、何があっても贖罪(しょくざい)せねばならない」と、マスコミは日本人を〝洗脳〟してきたのです。そのために日本は、韓国の度重なる理不尽な要求に対して抗弁することなく、「まあ、昔悪いことをやったのだから仕方ないか」くらいの気持ちで、言われるがままに応じてきてしまったのです。

　もちろん、日本人の中にも、「そんなことはおかしい」と冷静に考える政治家、評論家、知識人はいました。けれども、そういう人に対してマスコミは、〝右翼〟とか〝民主主義の敵〟などといったレッテルを貼って白眼視して口封じをしてきたのです。

　そして、真の韓国の姿をあえて伝えることをしませんでした。いや伝えないだけでなく、むしろ「韓国が謝罪を要求してきたら無条件に謝罪すべきだ」といったキャンペーンを、繰り返し行ってきたのです。その結果、歴代政権は韓国に対して、妥協に継ぐ妥

內地人과 갓흔氏名으로 고치게되다

改姓改名 이름짓는법

姓名과運命의神秘的關係

姓名學과字劃字音의關係

半島文壇の大御所

李光洙さん

氏へ名乗り

一家揃って「香山」姓へ

創氏の苦心を語る李光洙さん

著名な独立運動家で、朝鮮近代文学の祖とも呼ばれる作家の李光洙（1892〜1950）が「香山姓」に改姓したことを伝える1939年12月12日付「朝鮮日報」。上は改姓の際の姓名判断や、改姓についての解説本の広告。

協を重ねてしまいます。

そうすると、「日本は叩けば頭を下げてくる」と、韓国側は増長し、日本に強硬な意見を言う人ほど愛国者だと持ち上げました。そういう教育が戦後一貫して行われてきたのです。「日本は韓国に悪いことしかしなかった」と教え込む教育です。

のちに詳しく述べるように、正しい歴史的事実としては、けっしてそんなことはありません。併合時代に日本は朝鮮の近代化を図り、貧しい民衆の暮らしを向上させました。ところが韓国は、歴史の書き換えを国家ぐるみで遂行したのです。

どうしても認めることができない、中国からの〝解放〟という真実

紀元前一世紀に始まる高句麗（こうくり）、百済（くだら）、新羅（しらぎ）の三国時代からの因循（いんじゅん）な伝統をいまだに残す韓国は、地域的対立が激しく、戦後の独立後も国内はバラバラでした。そこで、日本を悪者に仕立てることで国民の団結心を高めたいという政治的思惑が、為政者の側にはまずあったのです。

儒教の影響で、自らの祖先＝家族は大切にするが、世の中のことや社会、国のことを考える「公」はそれに次ぐ価値観でしかないとする考えがありますから、なかなか韓国は国として一つにまとまりません。人類共通といってもいい残念なことなのですが、人間は敵があると団結します。韓国人は、その傾向がとりわけ強いのです。

儒教の塊のような中国の清王朝を、一九一一〜一二年の辛亥革命で倒した孫文のスローガンは、「天下為公＝天下を以て公となす」でした。中国人は親孝行の「孝」ばかりを優先して「公」に奉仕する精神がないと嘆いた孫文は、「中国人よ、目を覚まして『公』に尽くせ」と訴えたのです。儒教における中国の弟子筋にあたる朝鮮は、「公」よりも「孝」が大事という儒教の教えをものの見事に受け継いでしまって、なかなか統一、団結ができません。

歴史の書き換えが行われた例として私が声を大にして言いたいのは、「日本は韓国をむりやり併合した。その時、韓国人はこぞって反対したが、暴力で併合が強行されてしまった」と、韓国内で戦後一貫して教育され続けてきたことです。

無論、これはまったくのウソで、併合されて日本と一緒になることに賛成した韓国人も数多くいました。それまで朝鮮半島は、中国から自分たちの従属物、属国と見なされていましたから、日韓併合を中国からの解放と受け取った人たちもいたのです。

中国は朝鮮をどこまでも対等な相手として扱ってはくれません。一方、日本は明治維新を達成して近代国家となり、中国と対等の国家であることを国際的に承認されていました。そこで「朝鮮が日本の傘下に入れば、中国と対等の国家であると国際社会に認識されてもおかしくない」と、彼らは考えたのです。

中国の奴隷でいるよりは、日本人となって中国と対等の関係を築きたいと、長年抑圧されてきた人々が思っても不思議ではないでしょう。

ところが第二次世界大戦後、国際社会は「あれはもともと別の国だった」として、朝鮮をむりやり日本から分離させました。いわば韓国は、準備が整わないうちに独立国として放り出されたようなものなのです。韓国人にしてみれば、あれよあれよという間にいつのまにか独立させられてしまったという思いだったことでしょう。

もちろん併合時代にも、日本から独立すべきだと主張する人たちはいました。ただ彼らは多数派ではなく、その声は国内で盛り上がることはありませんでした。戦後の韓国の教育が間違っているのは、戦前からの独立派を圧倒的多数派として、朝鮮人の誰もがそう思っていたと教えていることなのです。

戦争末期まで、朝鮮人には徴兵の義務はありませんでしたが、日本のためにともに戦いたいと、ものすごい数の志願兵が現れました。そのことは、独立など欲していなかった朝鮮人が、一定数いたことを証明しているのではないでしょうか。

こじれるにはワケがある
日本と韓国が〝離婚〟した理由

私は、よく夫婦の離婚にたとえるのですが、夫が日本、妻が韓国だとしましょう。本当は別れたくないのに、むりやり別れさせられてしまったとしたら、妻はどうするでしょうか？

まず、子供を育てなければなりません。そしてある時、子供から「なぜお父さんと離婚したの？」と聞かれます。その際に「お父さんは立派な人で、お父さんと一緒の頃は幸せだった」なんて言ったら答えになりませんよね。

「あの人は、ものすごく悪い人で乱暴な人だったから別れるしかなかったの。それがお母さんにとっての正義だったの」

子供の手前、こう答えなければなりません。つまり、戦後の韓国は、棚からぼた餅式に降ってきた「独立」を正当化するために、日本＝別れた夫を必要以上に悪く言わねばならなかった、ということなのです。

ただし、三〇年くらい前の韓国では、少なくとも保守派は、この論法は一種の弁明だとわかっていました。「われわれは日本に本当にお世話になった」「近代文明のすべてを一から教えてもらった。感謝してもしきれない」という韓国人はけっこういたのです。けれども、そういう人でも昼間、表向きは日本を非難しました。そして、夜になって宴会の席で「いや、あそこで言ったことは本音ではないんだ」と言っていたわけです。

このあたりの本当のところを、石原慎太郎氏が書き残しています（「正論」二〇〇三年一月号）。

その判断（日韓併合）を、ある意味で冷静に評価したのは韓国の大統領だった朴正熙さんだ。私も何度かお目にかかった。あるとき、向こうの閣僚とお酒を飲んでいて、みんな日本語がうまい連中で、日本への不満もあるからいろいろ言い出した。朴さんは雰囲気が険悪になりかけたころ「まあまあ」と座を制して、「しかしあのとき、われわれは自分たちで選択したんだ。日本が侵略したんじゃない。私たちの先祖が選択した。もし清国を選んでいたら、清はすぐ滅びて、もっと大きな混乱が朝鮮半島に起こったろう。もしロシアを選んでいたら、ロシアはそのあと倒れて半島全体が共産主義国家になっていた。そしたら北も南も完全に共産化された半島になっていた。日本を選んだということは、ベストとは言わないけれど、仕方なしに選ばざるを得なかったならば、セコンド・ベストとして私は評価もしている」

これが朴正熙(パクチョンヒ)大統領や、彼と同じ年齢の韓国人の本音でしょう。

「日本が一方的に悪い」というのはウソなのだけれど、韓国人を団結させるための必要悪としては仕方がなかった、といったところです。

「すべて日本が悪い」世代なのに、真実ときっちり向き合った青年

保守派の人たちはそうでしたが、一方で、北朝鮮とつながっている革新派、要するに

左翼は共産主義こそ素晴らしいということを自国民に植え付けるために、はなから「日本はとんでもない悪い国だ」と子供たちに教育してきました。

日本でかつて猛威をふるっていた日教組のような組織が韓国にもあって、そういう教育を受けた子供たちが大人になり、やがて社会の中枢に入るようになります。彼らにとっては、一から十まで日本が悪い。だから、日本を叩くのは正しいことだと信じて疑わないのです。その世代的代表が、現在の文在寅大統領と言っていいでしょう。

私は実際に見たことがあるのですが、小学生を独立記念館に連れていき、半裸姿の韓国人の若い女性が日本の憲兵に拷問されている蠟人形を、授業の一環で見せつけていました。多感な時期ですから、トラウマになるはずです。

私がそれでもわずかにいる韓国の親日派を尊敬するのは、子供の頃にあのようなものを見せられれば日本が悪いと思い込むのは当たり前なのに、そのことに疑問を抱き、正しい知識を自ら得て、そうはならなかった人たちだからです。

実際に洗脳状態から目覚めた人もいます。『親日派のための弁明』（草思社、二〇〇二年）という本を書いた金完燮氏のことを紹介しましょう。

この本は、もともと韓国語で書かれて出版されました。親日派イコール売国奴、極悪人と見なされる韓国では、親日派と名乗るだけでも大変なことですが、それを弁明するというのですから大事（おおごと）です。

実際、刊行後は青少年有害図書に指定されて徹底的に叩かれました。集中砲火的なマスコミのリンチにも遭（あ）いました。そういうことを、一流の作家・知識人に対してやるのが韓国なのです。

彼とは対談をしましたが、日本はとんでもない国だという洗脳教育を受けたのち、オーストラリアに留学して英語の文献に接して自分で一から歴史を調べ直したと言います。現在『反日種族主義』（文藝春秋、二〇一九年）が話題ですが、金さんはそこに書かれていることを二〇年近く前に言っていた人なのです。

「洗脳から覚める前は、日本をどう思っていましたか」と私は彼に聞きました。すると、阪神・淡路大震災が発生した時に感じたという、凄（すさ）まじく悪意に満ち満ちた答えが返ってきたのです。

「一番最初の感想は、ざまあみろ、ということ。日本は悪いことばかりしているから天罰を受けたと思ったのです」

それほどまでに金さんは、日本憎しで固まっていたのです。それが、英語の文献に接して歴史の真実を知った、と。教育の恐ろしさとは、そういうことなのです。

こちらが一ミリ後退すると、向こうは一センチ前に出てくる！

文在寅大統領のような、正しい歴史認識ができず、歴史的事実でないことをはなから信じて疑わない人は、要するに相手にしてはいけないのです。相手にする限り、際限なく増長して、要求をエスカレートさせます。

「河野談話」で、あそこまで踏み込んで慰安婦のことを謝ったのだから韓国も二度と蒸し返さない、という合意が日韓双方にあったのですが、舌の根も乾かぬ間(ま)に、いとも簡単に反故(ほご)にされました。前大統領の朴槿恵(パククネ)女史が、「不可逆的に慰安婦問題は解決された」と言ったのにもかかわらず、です。

二転三転する韓国の言いなりのままに、今の状況を放置していたら絶対ダメで、一ミリも譲るべきではないのです。こちらが一ミリ後退したら、向こうは一センチ前に出てくることになるのです。

ソウルの日本大使館前の慰安婦像。その後ろには、ハルビン駅で伊藤博文を暗殺した安重根の横断幕が掲げられている。

しかし幸いにして、二〇一九年は日韓にとってもすごく大きな歴史的分岐点になりました。『反日種族主義』が、韓国でもよく読まれました。かつてのように発禁にならずにベストセラーになり、日本でも邦訳版が四〇万部も売れているのです。これは歴史が変わる兆しでしょう。

複数の著者を代表して責任編集を務めた李栄薫ソウル大学名誉教授は、一〇年ほど前から韓国の教科書に載っている日本の収奪の実態を一つ一つ古文書に当たって調査し、そんな事実はなかったとの実証的研究をし続けた人です。それに対して韓国のマスコミは、長きにわたって徹底的に叩いてきました。慰安婦の家まで連れていかれて、公衆の面前で頭を下げさせられた、とも聞いています。

しかし私は断言してもいいですが、叩いた側は元になるデータ＝古文書を読んでいません。ハングル至上主義の韓国は漢字を追放したので、戦後生まれの人は漢字を読もうと思っても読めないのです。

漢字は表意文字ですから、たとえば「コウドウ」の音は「行動」もあるし「講堂」もあります。それをハングル表記にすると、同音異義語が極端に整理されてしまいます。一〇個の同音異義語が一個にまとめられるといった文化破壊のようなことが起こり、他

日韓両国でベストセラーとなった『反日種族主義』。編著者である李栄薫教授の考えは、YouTubeの「李承晩TV」でも視聴することができる。

の九個は韓国の国語から失われてしまったのです。

漢字を追放すると、当然ながら漢字を多用していた時代の文章が読めなくなります。韓国では若い記者ほど古文書が読めません。李教授は以前、韓国古文書協会の会長も務めた人で、世代的にも当然漢字が読めます。そういう人が実証的に検証した結果を、データに当たれない人がなぜ叩けるのでしょうか。

普通なら常識に反する意見が出た場合、「本当かな？」と疑って調べるはずですが、現代の韓国人は肝心の調べる手蔓（てづる）を持っていないのです。韓国にまともな歴史学者は若干いるけれど、まともなマスコミは一つもないと考えても、間違いではないでしょう。

正しい歴史を知らないというのは一般国民の責任ではなくて、マスコミの責任です。実は日本も同じで、ジャーナリスト、コメンテーター、評論家、これまでは皆『反日種族主義』に書かれていることを報道してきませんでした。彼らの中には、ソウル特派員なども いました。韓国のスポークスマンか、北の手先でもあるまいに、いったい今まで何をしていたのかと思います。

李教授は日本人の助けを受けずに、ずっと一人で頑張って、「韓国の言っていることはおかしい。事実ではない」と言い続けてきました。これは尊敬に値します。

一方、文在寅大統領の側近であった曺国前法相は、この本を「ゴミだ。反吐が出る」と一蹴しましたが、二〇一九年の時点でこんな間違った感想を抱いて恥の上塗りをしでかしたことを年表に明記しておけば、彼は子孫に必ずや軽蔑されることになるはずです（もっとも、それ以前に家族と彼自身の数々のスキャンダルで、すでに日韓両国で十分に軽蔑されている気もしますが……）。

ただ、さらなる変化の兆しもあります。

韓国のニュースで、高校三年生が先生に「安倍政権に反対しろと言うけれど、おかしくないですか」と抗議した、と知りました。若い世代も、「どこかおかしいぞ」と思い始めているのです。

『反日種族主義』に書かれていることが広く知れわたれば、希望的観測ではありますが、私は日韓関係は劇的に変わると思います。

そのためには、日本人も文在寅政権を頂点とする韓国の体制が、いかにでたらめかということをもっと知る必要があります。日本のマスコミは、このことを充分に伝えてはいませんでしたが、『反日種族主義』のような本が日韓で人々に認められた今こそ、しっかりと反省すべきではないでしょうか。

日本のマスコミが報じない韓国の信じがたい〝風潮〟

被害者が泣き寝入りするしかない、警察による呆れた捜査方法

唐突に聞こえるかもしれませんが、〝日本人の知らない韓国〟というものが存在します。言い換えると、日本のマスコミがほとんど報道しない韓国です。どの国にも表と裏があり、他国に自慢したい点も、見せたくない点もあるかと思います。そのことを承知の上で、けっして興味本位で恥部を暴くということではなく、こういう側面もあります、という事実を見ていきましょう。

二〇〇四年に、「密陽(ミリャン)女子学園集団レイプ」という事件が起こりました。これはひどい話で、金持ちの息子たちが女子中学生を集団で暴行したというものです。しかもそれだけにとどまらず、有罪にはならなかった上、レイプされた側の女子中学生たちがいじめられたり脅迫されたりしたという二次被害に遭(あ)い、自殺者も出たというものなのです。

警察の捜査も実にいいかげんで、二次被害を誘発した疑いもあります。「東亜日報」は同年一二月一二日付紙面でこう報じています。

> 慶尚南道密陽地域の高校生らによる女子中学生集団暴行事件の捜査過程で、警察が当然守るべき被害者の保護を疎かにし、被害者にさらに苦痛を与えていたことが分かった。(略)
>
> 暴行事件はもとより、多くの刑事事件の捜査において、犯人識別の際には、被害者や目撃者の顔が露出しないようにするのが基本だ。しかし警察はこれを無視し、被疑者が取り調べを受ける刑事課の取調室で、被害者を加害者に対面させた。

被害者の人権などないに等しい、信じられない捜査です。被害者の女子中学生が、当の悪ガキに後で復讐されることぐらい、韓国の警察は想像できなかったのでしょうか。「我が国はレイプ大国だ」と、韓国のマスコミは自嘲気味によく紙面に書きます。レイプをされても被害者は泣き寝入り、ということなのですが、このような捜査をしていれば、それも当然のことです。

ブラジルでは「日本大会」と呼ばれる、二〇〇二年サッカー・ワールドカップ

二〇〇二年のサッカー・ワールドカップを記憶している方も多いでしょう。日韓同時開催で話題になりました。

こちらもご存じの方も多いかもしれませんが、そもそも当初の計画では日本だけでの単独開催でした。ところが、国際的地位を向上させたい韓国が後から割り込んできて、むりやり同時開催するようFIFA（国際サッカー連盟）に横車を押したのです。

その時、私は「韓国がワールドカップを開催したいのなら、別の年に韓国単独でやれ

ばいいだけの話のはず。それなのに、日本がせっかく苦労して取ってきた大会に乗じるのはおかしくないですか？」と、日本のマスコミが問題提起をしてくれるものと期待していましたが、やれ友好だの、仲良くしたほうがいいだのと、上っ面ばかりの報道一辺倒で失望しました。マスコミは無法な韓国の割り込みに対して、ただ単に〝友好〟だけを強調して認めてしまったわけです。

そうして開かれた日韓共同開催ワールドカップで、韓国は何をしたのでしょうか。

これについても日本のマスコミは、表立って抗議の記事を書くことはありませんでしたが、まず、日韓共催なのに韓国人は日本選手を応援しませんでした。さらに、韓国はベスト4まで進出しましたが、それまでの試合で見せたラフプレーは世界中を呆れさせました。イタリアの選手などは、「もう二度と韓国内では試合をしたくない」と公言する始末。このように、どの国からの評判も最悪のものでした。

素人の目から見ても韓国対イタリア戦での審判の態度はひどいもので、金でももらっているのかと疑わざるを得ないありさまでした。そのせいで、「なんであんな国と日本は共催したんだ」と、世界中のインターネットで日本まで悪口を叩かれる始末です。サッカー大国ブラジルでは、今では日韓共同ワールドカップではなく、単純に「日本大会」

と呼ばれているそうです。

二〇一二年になって「鄭夢準(チョンモンジュン)大韓民国サッカー協会名誉会長が審判を買収して、ベスト4までいかせた」と、ゼップ・ブラッターFIFA会長が明かしたと、世界中に報道されました。また鄭会長が、次のようなとんでもないことを語ったことも明らかになっています。

「私がブラッター会長とともに日本に招待された時、開催地が日本に固まったような雰囲気だった。そこで『われわれもまもなく誘致の申請をするので、ロビーで決めずにサッカーで勝負して決めよう』と提案した」

一〇年後の真実暴露に、さもありなんと思ったサッカーファンも多かったでしょう。

日韓ワールドカップにおける審判のあまりにひどい誤審は、FIFA公認「FIFA一〇〇年の十大誤審」というリストの中に五つも入っています。しかも、その五つのうちの四つまでが韓国に有利に働く誤審というのがすごいところです。

ロビー活動が下手くそだから、韓国人はノーベル賞が取れない!?

韓国でベストセラーとなった小説『ムクゲノ花ガ咲キマシタ』のことは後述しますが、その作者金辰明(キムジンミョン)氏はこの小説を刊行した後で、さらにひどい『皇太子妃誘拐事件』(二〇〇一年)という小説を書いています。その内容は、日本の皇太子妃(それも漢字で書けば明らかに「雅子」となる「마사코」という名になっています!)が誘拐されて、さんざんな目に遭うというものです。

日本でダイアナ妃を誘拐して脅迫する小説が出版されるようなことがあり、それがベストセラーにでもなったらイギリス外務省は遺憾の意を表明した上で抗議をしてくるでしょうが、日本の外交当局は抗議すらしていません。日本の法律では、海外からの皇族に対する脅迫や名誉棄損が容易に訴えられない形になっているそうですが、その盲点を突かれたとしたら残念なことです。

韓国は自殺者が多い国として識者の間では有名です。つまりは、受験、就職、結婚など人生上のそれぞれのハードルが日本よりはるかに高い、生きていくのが大変な国ということでしょう。

現に二〇一六年のＯＥＣＤの調査では、加盟国中で人口一〇万人当たりの韓国の自殺者数は二五・八人。日本人は一六・六人です。二〇一五年までは韓国は自殺率世界第一位でした。こういう国が国民にとって、暮らしやすいいい国なのかどうか、本音のところを韓国民に聞いてみたい気がしますが、正直には答えてくれないかもしれません。

プロゴルフの試合中、観客がゴルフボールを拾って勝手にホールに入れてしまうとか、社会的に棄てられた私生児と勝手に養子縁組をして、その子をアメリカなどに「輸出」してしまうとか……。首をかしげたくなる、目を背(そむ)けたくなるひどい話は、他にもたくさんあります。

一つ、面白い話をお伝えしましょう。漫画家の高信太郎(こうしんたろう)さんの著書『笑韓でいきましょう』（悟空出版、二〇一五年）の中に出てくるエピソードです。

韓国人は「日本人はずるい」と思っています。なぜなら、「ノーベル賞を取るコツを教えてくれなかったから」と言うのだそうです。つまり、ノーベル賞はロビー活動やコツで取れるものだと思っているわけです。本来ノーベル賞は、地味な、基礎的な研究の積み重ねによって受賞するものですが、韓国人は、そこのところがまったく理解できていないのでしょう。

たしかに、韓国人のノーベル賞受賞者は、金大中(キムデジュン)氏の平和賞のただ一つだけ。淋しい限りです。高さんによれば、この現状に関する韓国人の考え方は次のようになります。

韓国人は儒教的偏見もあって、自分たちのほうが日本人より頭が良く、優れていると思っている。なのになぜノーベル賞が取れないのか。なぜ日本人がどんどん取るんだ。日本はノーベル賞委員会に対して上手なロビー活動をしているに違いない。そのコツを教えてくれてもいいじゃないか。

私も、このジョークに膝を打ちました。まったくもって一理あると思います。さらに続きを見てみましょう。

でも日本としたら困りますよね。教えることは何もないんだから。教えるとしたら、コツコツと地道に研究を続けることくらいでしょう。でも、これって実は韓国人が一番苦手とすることなんです。というわけで、今後も、韓国人がノーベル賞（平和賞以外）を取ることは無いと言っていい。

韓民族だけれどアメリカ人として育った人もいるので、そういう儒教的なしがらみのない人は、コツコツ研究してノーベル賞を取る可能性はあるかもしれません。しかしながら高さんの文章にもあるように、今のままでは日本のような受賞者輩出は難しいと言わざるを得ないでしょう。

前述のように日本のマスコミは、集団レイプ事件や、あるいは皇太子妃をモデルにして侮辱するような小説がヒットしたなどということは、まったく報道しません。ソウル特派員、支局長というような肩書を持っている日本のマスコミ人が、こういったことを知らないわけはないのです。

それなのに、一言も口にせず一行も書かず、「安倍政権のやり方はおかしい！」「もっと韓国の言うことをきちんと聞くべきだ」ということばかり言っています。話を聞かないのは向こう側なのですが……。

徴用工の問題で言えば、「ちゃんと給料をもらっていたから、私は補償なんかいらない」と、はっきり言う韓国人も多くいます。前にも紹介したように、昔と違って〝親日の烙印〟を押されようとも、事実について勇気をもって発言する人が韓国社会に出てきました。しかし、そういう声が日本までは届くことはほとんどありません。

以前なら、そのような発言をしただけで、韓国マスコミに袋叩きにされて命の危険さえありました。けれども、時代は変わりつつあります。彼らは正しいことを言ったのだと、歴史が証明してくれる日が遠からず来るはずです。

第二章

朝鮮王朝から併合時代に至る虚々実々(きょきょじつじつ)の日韓関係史

一四〇〇年間繰り広げてきた日中韓の作用と反作用

大国相手にまったくひるまない聖徳太子の〝ツッパリ外交〟

平安初期に編集された『古今集』は、日本人が作った和歌集であるにもかかわらず、「仮名序」「真名序」と序文が二つあります。真名序は漢文で書かれている序文です。東アジアの公式語は中国語であり、公文書は漢字で書くものであるという考えから、このような形になりました。

日本で一番古い、国が正式に作った官撰（かんせん）の歴史書は『日本書紀』ですが、この本は全文が漢文で書かれています。今でいえば、日本政府が出した日本史の公式記録が英語で書かれているようなもの、と言えるかもしれません。

これを見ても、当時の中国文化の影響がいかに強いかがわかるのですが、しかしわれわれの祖先は、日本は中国の属国ではない、中国とは違う国だということで、まず仮名を生み出し、公文書ではない小説や日記を仮名で表現しました。和歌がそうですし、世界最古の長編小説と世界的に評価されている『源氏物語』もそうです。

『日本書紀』は、あくまで外国語である漢文=中国語を使っているので、どうしても微妙なニュアンスが表現できません。そこではヤマトタケルが歌を詠(よ)みますが、その心情の微妙なところは大和言葉で書かないと伝わらないわけです。日本人ははるか昔から自らの文化を大切にしてきて、また中国への対抗意識もあって、いわば文字をもってそのことを証明してきたのです。

国名もそうです。それまでは「ヤマト」という呼ばれ方をしていたのを、中国に対して「日本」と名乗るようになります。

聖徳太子は隋(ずい)に遣いを出して、使者に持たせた書面に「日出処(ひいづるところ)の天子、日没(ぼっ)する処の天子に書を致す」と書きました。この文章で大事なのは、中国（隋）を自分より一段上だと考えるなら「書を奉る」でなければいけないし、そもそも自らを天子と名乗ってはならないということです。

天子とは、天命を受けた人間ということで、天から「お前がこの国を治めろ」と指名されたことを意味します。天子を政治的な立場に置き換えると「皇帝」となります。

秦の始皇帝は、自分が最初の皇帝だとして「始皇帝」と自ら名乗ったわけで、子孫に二世皇帝、三世皇帝と名乗らせる予定でしたが、秦は始皇帝一代で滅んでしまいました。しかしその後、漢も隋も唐もそれ以後の王朝も皆、皇帝の称号を受け継いで、孫文の辛亥革命によって一九一二年に清が滅ぼされるまでずっと続きます。

中国に所属する周辺の国家の長には、国王の称号が与えられます。中国王朝の周りは全部野蛮、未開の地域というように考えられていました。ですから、朝鮮も日本も琉球も、中国皇帝に貢物を捧げて、その見返りに自分たちの支配している地域の正式な国王にしてもらっていたのです。

漢に使いを送った倭の奴国の国王、魏に使いを送った邪馬台国の女王卑弥呼など、皆そうでした。江戸時代に、現在の福岡県の志賀島から発見された金印には、「漢倭奴国王印」と彫られています。また、卑弥呼がもらった金印には「親魏倭王」と刻印されていたとされます。この卑弥呼の金印は、どこかの天皇陵か古墳に埋まっているかもしれません。

それに対し、「日出処の天子、日没する処の天子に……」と公言した聖徳太子は、天子を名乗ったことで「日本は属国ではないぞ！」と宣言したということになります。若い人が言うところの、「タメグチ」を聞いたといえるでしょう。

なぜ「日出処」なのか、「ひのもと」なのかというと、日の沈む方向に巨大な中国という存在があることを、とても強く意識しているからなのです。向こうが世界の真ん中の国なら、こちらは「日出処」だと対抗しているのです。

東とか西とかいうのは相対的な感覚で、起点があって初めて認識されるものです。たとえば名古屋は東か西か。それは東京という起点があれば東京よりは西、大阪が起点なら大阪より東となります。東も西も相対的なものだぞ、という政治感覚が聖徳太子にはあったのでしょう。

さらに、中国と対等の国の首長が国王ではおかしいと考え、「皇」の字をちゃっかり使わせてもらって「天皇」の称号を使うようになったわけです。これを私は「聖徳太子のツッパリ外交」と呼んでいるのですが……。

一〇〇〇年以上にわたる中国の属国への道を拓いた「英雄」

それに対して朝鮮半島の対応は違いました。中国と陸続きであって常に攻め込まれる危険に晒されているという、軍事上の理由からです。

一三世紀の元寇の時、日本に攻めてきたのは元軍の本隊ではありません。本隊は馬に乗った騎兵です。馬は消耗品ですから乗り換え用の馬が控えていて、兵が乗っている馬の他に少なくとも三頭くらいが伴走しています。その場合、兵士一人に馬四頭ということになるわけです。

日本に一〇万の兵を送るとしたら、馬四〇万頭に玄界灘を渡らせなくてはなりません。馬はとてもデリケートな動物ですから、狭い船の中に押し込めて輸送するのは難儀です。移動には大変な手間と費用がかかります。正直、そんなことができるわけありません。

つまり、元が誇る騎馬隊が海を渡って侵略してくるのは不可能に近いのです。

ユーラシア大陸を陸路で移動するなら、乗り換え用の馬をいくら連れて行っても、餌になる草は潤沢にあるし、高速移動もできるし、不都合なことなどありませんが、日本に攻め入るには話は別。当然、海を越えざるを得ません。だから、日本はすこぶる安全な国だったのです。

ちなみに、初めて日本の安全が脅かされたのは幕末になってからです。欧米諸国が産業改革によって蒸気機関を開発。その強力なエンジンを船に搭載して、押し寄せてきた時のことでした。

前述のように、海に囲まれた日本はそれまでは絶対安全な国でしたが、蒸気機関のおかげで巨大な大砲を積める鉄張りの戦艦が誕生し、アウトレンジから、つまり日本側の射程距離外から艦砲射撃で砲撃してきます。そうなると防ぎようがありません。この時、一転して、日本は海に囲まれているからこそ、最も危険に晒される国になったのです。

一方、朝鮮半島は大陸と陸続きですから、古来、中国より数え切れないほど、いくどとなく攻め込まれました。

三国時代、滅亡寸前だった新羅に、のちの太宗武烈王(たいそうぶれつおう)となる金春秋(キムキュンチェ)という武人の英雄が出て、唐の軍事力を利用して高句麗、百済をやっつけようとし、唐と連合軍を組んで二国を滅ぼしてしまいます。

頭に来た百済の遺臣たちは日本と同盟して新羅に対抗しますが、有名な「白村江(はくすきのえ)の戦い」で敗れてしまうわけです。つまり、金春秋の選択が、結局以後一〇〇〇年以上にわたる中国の属国となる道を朝鮮に拓(ひら)いたといえるでしょう。

以後、朝鮮半島の政権トップの名称はすべて国王です。朝鮮という国号も、建国者の李成桂(イソンゲ)が遣いを中国に送って、名付け親になってもらって授かったものです。中国が親なら、朝鮮が子というわけです。

朝鮮国王の代替わりの時も、新国王がすぐ即位できるわけではありません。後継ぎが中国から来た皇帝の遣いを迎え入れ、「汝(なんじ)を朝鮮国王とする」との辞令を受け取って初めて即位できます。その時、新国王は土下座して三回ひざまずいて九回頭を大地に叩きつける「三跪九叩頭(さんききゅうこうとう)」という「拝礼作法」を行いました。

このように朝鮮半島の歴代王朝は、ずっと中国の属国の地位にあったのです。さらに、中国の真似は何でもしなければいけないということで、徹底的な儒教体制が敷かれていきます。

もう一例、朝鮮はいかに中国に遠慮し、拝跪していたかを知る手がかりを紹介しましょう。

日本で通貨が初めて発行されたのは、七〇八年。ご存じ「和同開珎」です。一方、朝鮮半島の国家が〝一応〟独自の通貨を鋳造したのは、なんと日本に遅れること約三〇〇年、高麗（九一八〜一三九二年）時代の九九六年になってからのこと。では、なぜ〝一応〟と留保をつける必要があるのでしょうか？

それは最初の独自通貨ですら、実は中国の模造だったからです。その通貨の銘文は「乾元重宝」でしたが、これは中国の唐時代の貨幣の銘を模写したもの。しかも、銅銭ではなく鉄銭でした。

最初の銅銭は二年後の九九八年に発行されましたが、それは同じく唐の「開元通宝」の型をとって鋳造したもの。つまり、こちらは完全な「中国コインのコピー」だったのです。だからこそ、「独自」という言葉を使うのは不適当だと考えています。

実は、日本の黎明期においては、朝鮮半島の国家のほうが技術水準が高かったのです。だとすれば、なぜ朝鮮半島の国家がコインを作るのが、日本よりも約三〇〇年も遅れたのか、不可解ではないしょうか。

もちろんそうしたことに対して、歴史の専門家と呼ばれる人々による説明は〝一応〟あります。たとえば「朝鮮半島では布（反物(たんもの)）が貨幣の代わりに流通していた」などというものです。

しかし、これで納得してはいけません。曲がりなりにも「貨幣が流通」、つまり物々交換でなく貨幣経済が成立していたのであれば、どう考えても反物よりコインを作ったほうが便利なはず。合理的に考えたら、そうなるでしょう。ところが、明らかに朝鮮民族は合理的な考え方をしていません。なぜなのでしょうか。

実はそれこそが、「『中国様』こそ唯一の文明であり自分たちのご主人様だ」という「中華思想」、そして「事大主義」（常に強いほうに付くということ）のなせるわざなのです。それらは思想であり、かつ一種の信仰、つまり宗教であるがゆえ、政治・経済・文化すべての分野に影響が及んでいます。

要するに朝鮮民族は、「コインなら中国製という完ぺきなものがある。それを使えばいい。われわれが独自のコインを作るなど『中国様』に対して失礼だ」と考えたのです。おそらく上流階級は中国のコインを使う一方、下層階級がこうむる貨幣のない不自由など考えようともしなかったのでしょう。

ただ、朝鮮半島初の通貨が登場したとされる九九六年は、唐が滅んで中国本土が混乱していた時期。だから、やむを得ず「これはコピーでございます、あくまで本物は中国製です」という意を込めてコインを鋳造したのだと思われます。

なぜ「恥辱の碑」は移転され、碑文もすべて塗りつぶされたのか?

一七世紀初頭に成立した清は、元来満州の遊牧民族が建てた国で、初代のヌルハチは漢字の名前さえ持っていませんでした。朝鮮からすれば、儒教文化を正しく継承した明(みん)を滅ぼした野蛮な異民族の国です。「あんな礼儀知らずの国に従えるものか」と、朝鮮国王が一時、清に逆らったことがあります。

すると、怒った清は朝鮮に攻め込んできました。そこで朝鮮国王は、三跪九叩頭をして命乞いの末に許してもらったわけです。ただし話はそこで終わりません。

降伏の折、「いかに清の皇帝に世話になったか、それを未来永劫にわたって顕彰する碑を作れ!」と命じられて、67ページの写真にある「大清皇帝功徳碑(だいしんこうていこうとくひ)」を建てました。

朝鮮半島の国家は中国に対してこれからもけっして逆らいませんと宣言した、いわば歴史の証拠品なのです。

私が驚いたのは、二〇一九年八月一五日にその碑を見に行ったところ、なんと碑文が全部塗り潰されていたことです。碑の表題まで潰されていました。これが文在寅政権の隠しても隠しきれない本当の姿なのです。日本には「歴史の真実から目を背けるな」と言いながら、実は歴史を覆(おお)い隠して目を背けているのは当の彼らなのです。

この碑は一時あまりにも屈辱だというので、民衆の手で川の底に沈められていました。これを引き揚げて、歴史の大切な証拠であるから民族の教訓にしようと建て直したのが、保守派の全斗煥(チョンドファン)政権でした。その際に、この碑がなぜ建てられたのかという解説のレリーフも作ったのです。私はかつて、その説明板も見ています。

ところが今、碑は移転され、碑文は塗り潰されて、説明板もありません。「なぜなのか」と、案内してくれた知人に頼んでソウル市に問い合わせてもらっても、要領を得た答えは得られませんでした。おそらく移転の目的は、説明板を壊すのが目的だったのでしょう。元の位置のままで説明板だけ無くしたらさすがに不自然で、批判を浴びるでしょうから……。

朝鮮国王に対し、清への徹底服従を誓わせた文言が並んでいたのに、すべて塗りつぶされた大清皇帝功徳碑。今の韓国人のダメなところが象徴的に表れている遺物だ。

このように、歴史を隠す。隠すことによって新しい歴史を上塗りしてしまう……。これが今の韓国の得意技なのです。

韓国の近代化を邪魔した閔妃(ミンピ)が英雄視されるというパラドックス

日本が無条件降伏した八月一五日を、韓国では光が回復したとして、「光復節」と呼んでいます。毎年記念式典が行われるのは、ソウルから電車で二時間以上も離れた天安市にある、一九八七年にできた比較的新しい建物「独立記念館」です。

ソウルのど真ん中に独立門という立派な門がありますが、「なんでそっちで式典をやらないのですか」と聞くと、若い人は皆「ハッ」とした顔をします。「言われてみればそうだな。独立門で記念式典をすればいいのにな」と、初めて気づいたような、驚きの顔です。彼らは独立門を、日本からの独立を記念して作った門だと思っているのです。

ところが、あの門の前にはさすがに説明板がありますが、実は独立門は日清戦争で日本が勝ち、朝鮮の独立を清に認めさせたことを記念して建てられたものなのです。「日

戦前の独立門の様子を写した絵はがきと現在の様子。フランスの凱旋門をモチーフに1897年に完成した。

本のおかげで独立できた」との喜びを表した門ともいえます。

しかしながら韓国では、そういう歴史の真実を若者たちに対してきちんと教えていません。日本からの独立の前に中国からの独立があって、そちらのほうが韓国民にとって嬉しかったということがバレてしまうとまずいからです。とにかく日本からの独立が、〝一番の喜び〟でなければならないのです。

清から独立して大韓帝国と名を変えて、晴れて朝鮮国王は皇帝を名乗るようになりました。もっともその後、大韓帝国皇帝は一九一〇年の日韓併合時に廃止されて日本の華族となっていきます。

ともあれ、先祖の法＝祖法を最重要視する朝鮮では、明治維新のようなわけのわからない新奇なことをしでかした日本を見下しています。特に王室をとりまく空気はそうでした。ロシアと組んで日本を排除しようとしたのが王妃の閔妃（ミンピ）で、一族の繁栄のために政治を壟断（ろうだん）し私物化を図り、韓国の近代化を徹底的に阻害していました。

閔妃は一八九五年、日本人の手によって謀殺されます。もちろん日本が選んだこの卑怯なやり方に弁解の余地はありません。謀殺などという余計なおせっかいは、必ず禍根（かこん）

を残すからです。

ただし、第一章でも紹介した『親日派のための弁明』の著者である金完燮（キムワンソプ）さんは、「あの女は諸悪の根源で、とんでもない女だった」と書いていて、日本が排除すること自体は正しかった、としていますが……。

のちほどご紹介しますが、イギリスの女性旅行家イザベラ・バードの紀行文を読めば、韓国の社会がいかにひどい状態で、王族や両班（ヤンバン）にどれほど民衆が搾取されていたかが、よくわかります。つまり、日本は暗殺という許されざる手段をとってしまったのは事実ですが、一方で閔妃に恨みを持つ者も多かったはずなのです。

ところが今、閔妃は韓国内では英雄視されているといいます。

彼女は日本人に殺された歴史の犠牲者で素晴らしい人だった。日本人が閔妃を殺したために韓国の独立は失われたのだ、と理解されているのだそうです。

そのように若い人たちに教えているのであれば、とんでもない歴史の過ちを犯していることになりますが、はたしてその〝罪〟の重みに韓国のトップは気づいているのでしょうか。

李氏朝鮮の悲惨な末期と日本が導いた朝鮮の近代化

朝鮮の諸悪の根源となった両班を頂点とする身分制度

朝鮮を「官尊民卑の国」と断言し、一般朝鮮人の無気力を憂いて、その原因が両班にあるとしたのは六代目朝鮮総督宇垣一成(うがきかずしげ)でした。

「両班は民衆を搾取している。数百年もの間、財産を作った者からはそれを奪うことしか考えず、学問を学ぶ機会を与えずにいたために、何をしても無意味と悟った民衆は、無為に日々を送るしかなかったのだ」

彼はそう考えました。両班を頂点とした身分制度に、朝鮮の諸悪の根源があると見抜いたのです。

元来両班は、種々の改革に消極的でした。第四章で詳しく説明しますが、変革をことのほか避けたがる原因は彼らの思想的拠り所である朱子学にあります。欧米から資本主義経済がいやおうなく入ってきても、いたずらに新奇のものを忌み嫌うだけで、導入を促そうとはしませんでした。

日韓併合後、さまざまな曲折はありましたが、社会を停頓させていた身分制度は日本の努力で解消に向かいます。それを説明する前に、朝鮮に抜きがたく存在していたこの身分制度について、簡単に説明していきましょう。

併合前、大韓帝国内の人々の身分は、王族、両班、中人、良人、賤民と分かれていました。高麗時代に始まり、李朝で確立された両班は国王に仕える官僚層で、地租以外の徴税、兵役、賦役を免除され、刑罰も減免される特権階級です。

元来は身分を問わず科挙によって誰でも両班になれましたが、李朝時代の中頃から受験資格が制限されて経済力のある者に限定されたので、事実上、世襲制同然となって身分が固定化します。李氏朝鮮では嫡子最優先で、次男以降は下位の序列に甘んじ、庶子は科挙の受験資格さえありませんでした。これは、同じ父の子なら生まれた順にかかわらず同列と見なす中国とは大いに異なります。

両班の下で実際に中央や地方の行政実務に当たるのが中人で、郷吏とも呼ばれます。出世の道は開かれておらず、いわば両班の召使いのような存在です。この二階級が支配者側といえます。

人口の過半数を占める農民は良人と呼ばれる階級に属し、現代でいう人権はほぼないに等しく、両班からは「常奴（サンノム）」と蔑称（べっしょう）で呼ばれました。

そのさらに下に賤民がおり、彼らは商工業や芸能の従事者です。奴婢、商人、僧侶、巫女、白丁（ペクチョン）（被差別人）などに細かく分かれます。奴婢は売買の対象で、モノ同然の扱い。所有者が奴婢を殺しても刑は軽いものでした。

ただし一八世紀以降になると、商取引で財を成した賤民層が台頭して地主となり、両班の地位を金で買うような現象も起こり、李朝末期には人口に占める両班の比率が急速に高まります。生産物を作らない支配者層の人口が増えるのですから、社会が停滞するのも当然です。

これらの身分制度が近代化の障壁となり、統治の妨げになると考えた総督府は、「門閥廃止」と「万民平等」の政策を推し進めます。併合直後に旧戸籍法を廃止して新戸籍制度を創出。旧戸籍に明記されていた奴隷身分を解放し、姓を持たなかった賤民に姓を与えました。

身分階級が完全になくなるのは、日本の朝鮮併合後一五年ほどたってからとされています。つまり、新戸籍制度が作られて一五年もの時間を要したことからしても、身分制度がいかに根強いものであったかがわかるわけです。

イザベラ・バードが鋭く見抜いた朝鮮庶民の貧困の本質

『日本奥地紀行』(平凡社、二〇〇〇年)で日本人にも馴染みの深いイギリスの女性旅行家イザベラ・バードは、一八九四年から九七年までの四年間、断続的に朝鮮を旅行し、貴重な記録を残しています。日清戦争を挟んだ、李氏朝鮮最末期と大韓帝国初期の朝鮮です(『朝鮮紀行』講談社、一九九八年)。

バードは、長崎から一五時間かけて船で釜山に上陸しました。そして、当時の様子を次のように紹介しています。

釜山の居留地はどの点から見ても日本である。五五〇八人という在留日本人の人口に加え、日本人漁師八〇〇〇人の水上生活者の人口がある。（略）日本人街から山腹に細い小道が三マイルばかりつづいている。この小道は、わたしが最後に見たときには無人だったが、官衙もある小さな清国人居留地を通り、その終点に城壁に囲まれた釜山の旧市街がある。砦はとても古いものの、なかの市街は（略）日本人の手で近代化されている。

その後バードは、船で首都ソウルに入ります。そこで見たのは「描写するのは勘弁いただきたい」というほどの街並みでした。

首都であるにしては、そのお粗末さは形容しがたい。礼節上二階建ての家は建てられず、推定二五万人の住民はおもに迷路のような横町の「地べた」で暮らしている。路地の多くは荷物を積んだ牛どうしがすれちがえず、荷牛と人間ならかろうじてすれちがえる程度の幅しかなく、おまけにその幅は家々から出た固体および液体の汚物を受ける穴かみぞで挟められている。悪臭芬々（ふんぷん）のその穴やみぞの横に好んで集まるのが、土ぼこりにまみれた半裸の子供たち、（略）犬は汚物の中で転げまわったり、ひなたでまばたきしたりしている。

そしてバードはソウルから漢江（ハンガン）上流を旅しながら、朝鮮の貧しさが社会構造に根ざしていることを発見していきます。彼女の観察眼は、鋭かったといっていいでしょう。

借金という重荷を背負っていない朝鮮人はまったくまれで、つまり彼らは絶対的に必要なもの以外の金銭や物資に貧窮しているのである。彼らは怠惰に見える。わたしも当時はそう思っていた。しかし彼らは働いても報酬が得られる保証のない制度のもとで暮らしているのであり、「稼いでいる」とうわさされた者、たとえそれが真鍮の食器で食事をとれる程度であっても、ゆとりを得たという評判が流れた者は、強欲な官吏とその配下に目をつけられたり、近くの両班から借金を申しこまれたりするのがおちなのである。

バードは、諸悪の根源に両班という制度があることを明確に見抜いていきます。その両班とは何かということを、彼女自身が同書でリアルに表現していますので、引用してみます。

両班は自分ではなにも持たない。自分のキセルですらである。（略）慣例上、この階級に属する者は旅行をするとき、おおぜいのお供をかき集められるだけかき集めて引き連れていくことになっている。本人は従僕に引かせた馬に乗るのであるが、伝統上、両班に求められるのは究極の無能さ加減である。従者たちは近くの住民を脅して飼っている鶏や卵を奪い、金を払わない。（略）

非特権階級であり、年貢という重い負担をかけられているおびただしい数の民衆が、代価を払いもせずにその労働力を利用するばかりか、借金という名目のもとに無慈悲な取り立てを行う両班から過酷な圧迫を受けているのは疑いない。商人なり農民なりがある程度の穴あき銭を貯めたという評判がたてば、両班か官吏が借金を求めにくる。これは実質的に徴税であり、もしも断ろうものなら、その男はにせの負債をでっちあげられて投獄され、本人または身内の者が要求額を支払うまで毎朝笞で打たれる。

あえて必要以上に働かず、必要最小限の物だけを所持して希望のないままに細々と生活するしか生きる術がない民衆の様子がよくわかります。このような社会にしてしまったのは両班たちのせいだ、と、紀行文は抗議しているのです。

バードは朝鮮滞在中に王族たちとも親しくなり、宮殿を訪ねて面会した時の模様も記しています。

国王は高宗ですが、宮廷内の実権は王妃の閔妃が握っていました。

王妃はそのとき四〇歳をすぎていたが、ほっそりとしたとてもきれいな女性で、つややかな漆黒の髪にとても白い肌をしており、(略)そのまなざしは冷たくて鋭く、概して表情は聡明な人のそれであった。

それに比べて国王はというと——

国王は背が低くて顔色が悪く、たしかに平凡な人で、薄い口ひげと皇帝ひげを蓄えていた。落ち着きがなく、両手をしきりにひきつらせていたが、その居ずまいやものごしに威厳がないというのではない。国王の面立ちは愛想がよく、その生来の人の好さはよく知られるところである。

バードは三週間にわたって国王と謁見を繰り返し、「キレ者で王をいいように操る王妃」「実権を閔妃から取り戻すべく陰謀を企てる国王の実父・大院君」のことを書きとめています。

彼(国王)はあまりにも人の言いなりになりすぎ、気骨と目的意識に欠けていた。最良の改革案なのに国王の意志が薄弱なために頓挫してしまったものは多い。絶対王政が立憲政治に変われば事態は大いに改善されようが、言うまでもなくそれは外国のイニシアチブのもとに行われないかぎり成功は望むべくもない。

日本は、そのイニシアチブを発揮しようと朝鮮半島に政治的進出を果たすべく模索するのですが、当時の日本人が見た朝鮮も、バードが観察したものと大差はなかったものと思われます。

欧米がまったく相手にしなかった〝告げ口外交〟の原形「ハーグ密使事件」

少々歴史に詳しい方なら、「ハーグ密使事件」をご存じかもしれません。そして「昔から同じことをやっているのだな」と気づかれるかと思います。なぜ、そう気づくのか。この事件について、改めて見ていきましょう。

日清戦争後に清国からの独立を果たした朝鮮は、前述したように国号を改めて大韓帝国とし、李朝の王は「皇帝」を名乗ります。その大韓帝国皇帝として新たに即位した高宗が一九〇七年六月に、オランダ・ハーグで開かれた第二回万国平和会議に三人の密使を送りました。これがハーグ密使事件と呼ばれるものです。

一九〇五年の第二次日韓協約（日韓保護条約）で朝鮮は日本の保護国となり、外交権を失いました。それに不満を抱いた高宗が、諸外国に直接訴えることで保護条約を国際社会で無効にしてもらおうと企んだ末の〝暴挙〟だったのです。

しかしハーグでは、韓国は先進諸外国からすでに外交権を失っていると正しく見なされ、密使は議場にすら入れてもらえませんでした。ところが、彼らは現地で記者会見を開いて日本の不当性を訴えたりしています。いわば、韓国お得意の〝告げ口外交〟の原形のようなものです。

もちろん、帝国主義時代の列強が耳を貸さなかったのは言うまでもありません。初代韓国統監の伊藤博文は、事件を受けて高宗を退位させることを決意。高宗は事件の翌月に退位の表明に追い込まれました。

このように、この事件は「負け犬の遠吠え」よろしく韓国に何の効果ももたらさなかったのですが、なぜか韓国人の記憶に長くとどまりました。ある韓国系オランダ人の実業家は後年、舞台となったハーグで密使らが宿泊したデヨングホテルの跡地に記念館を建てたほどです。

そこには高宗の「委任状」の写真が展示されていますが、オランダの専門家によると、

大韓帝国初代皇帝の高宗（左、1852〜1919）と第二代にして最後の皇帝となる皇太子の純宗（右、1874〜1926）。大韓帝国の礼服を身にまとっている。

密使たちが委任状をハーグで見せた記録は一切ないとのこと。しかも、その文面については、韓国の研究家ですら偽造の可能性が高いと判断しています。こうしたオチがつくのが、韓国の告げ口外交のお決まりでもあるのですが……。

現役陸海軍大将が取り仕切った統治機構としての朝鮮総督府の役割

日本の領土となった朝鮮半島の統治機関として、朝鮮総督府が君臨していました。その評価は二分されているといっていいでしょう。

「韓国人の民族性を奪い、自主性のすべてを奪った」とする否定論から、「日本の国費を投入して朝鮮の近代化を促し、戦後の経済発展の礎（いしずえ）を築いた」とする肯定論まで、幅広く見方が分かれます。

政治的事情も絡んでくるため時に感情的にもなる、総督府に対する評価のどちらが正しいのか……。それは、おそらく評者の立場によって変わってくるものなのでしょうが、ここでは総督府が果たした基本的な役割について述べておきます。

朝鮮総督府は、朝鮮総督を頂点に戴く統治機構です。立法・司法・行政の三権に加え、朝鮮軍の統率権を持っており、行政官の序列としては大臣に次ぐ位置にありました。補佐役として総督の下に政務総監がつき、総督官房、財務、内務、殖産、農林、法務、学務、警察などが総督府中央に置かれ、逓信局、裁判所、監獄、警察総監部、印刷局などを統括。さらには、朝鮮人の意思を統治に反映させるための諮問機関として中枢院が設けられていました。総督府はインフラ整備としての鉄道、道路、電気、上下水道、病院、学校などの事業も担当します。

歴代総督は日韓併合時代三五年間で計八人（九代）。初代の寺内正毅から最後の阿部信行まで、すべて現役の陸海軍大将です。

統治方針は、武断政治を進めた寺内や、内鮮一体を目指した南次郎に見るように、総督の方針が如実に反映されました。朝鮮で実績を上げて内地に帰り、のちに総理大臣になるのが栄進のベストコースで、寺内、斎藤実、小磯国昭の三人がそれを実現しています。戦局が悪化し政治力が求められた最後の総督に阿部が就いたのは、総理大臣を務めた後でした。

日本が統治の協力者として協力を要請したのは、李王家以下の皇族と、エリート層である開化派で、治安維持のために憲兵警察制度を導入します。

日韓併合に先立ち、寺内によって韓国の警察事務が憲兵司令官の明石元二郎(あかしもとじろう)に委ねられると、明石は日本人警察官約二〇〇〇人、朝鮮人警察官約三二〇〇人、日本人憲兵二〇〇〇人を組織し、力による統治に入ります。

しかし、一九一九年の三・一独立運動を経て統治スタイルは武断政治から、融和的な文化政治へと変身を遂げていきます。

産業の発展の突破口となった世界基準の鉄道の敷設

朝鮮半島に莫大な投資をしてインフラを整備していったのは、明らかに半島に近代化を促そうとする日本の政策ゆえでした。

後発資本主義国である日本は、国際競争力を持つ輸出品に乏しく、毎年の貿易総額は常に輸入過多でした。その中でわずかに恒常的な利益を生んでいたのが朝鮮市場で、これはイギリスから輸入した綿布を朝鮮に輸出していたからです。

ご購読ありがとうございました。今後の出版企画の参考に
致したいと存じますので、ぜひご意見をお聞かせください。

書籍名

お買い求めの動機

1　書店で見て　　2　新聞広告（紙名　　　　　　　　　　）

3　書評・新刊紹介（掲載紙名　　　　　　　　　　）

4　知人・同僚のすすめ　　5　上司、先生のすすめ　　6　その他

本書の装幀（カバー），デザインなどに関するご感想

1　洒落ていた　　2　めだっていた　　3　タイトルがよい

4　まあまあ　　5　よくない　　6　その他(　　　　　　　　　　)

本書の定価についてご意見をお聞かせください

1　高い　　2　安い　　3　手ごろ　　4　その他(　　　　　　　　　　)

本書についてご意見をお聞かせください

どんな出版をご希望ですか（著者、テーマなど）

郵便はがき

料金受取人払郵便

牛込局承認

9410

差出有効期間
2021年10月
31日まで
切手はいりません

162-8790

東京都新宿区矢来町114番地
神楽坂高橋ビル5F

株式会社ビジネス社

愛読者係 行

<table>
<tr><td colspan="3">ご住所 〒

TEL:　　(　　)　　　FAX:　　(　　)</td></tr>
<tr><td>フリガナ
お名前</td><td>年齢</td><td>性別
男・女</td></tr>
<tr><td>ご職業</td><td colspan="2">メールアドレスまたはFAX

メールまたはFAXによる新刊案内をご希望の方は、ご記入下さい。</td></tr>
<tr><td colspan="3">お買い上げ日・書店名
年　月　日　　市区町村　　書店</td></tr>
</table>

歴代の朝鮮総督

初代（1910〜16）
寺内正毅
（1852〜1919）

陸軍軍人、政治家、首相

第2代（1916〜19）
長谷川好道
（1850〜1924）

陸軍軍人

第3代（1919〜27）
斎藤実
（1858〜1936）

海軍軍人、政治家、首相

第4代（1927〜29）
山梨半造
（1864〜1944）

陸軍軍人、政治家

第5代（1929〜31）
斎藤実
（1858〜1936）

海軍軍人、政治家、首相

第6代（1931〜36）
宇垣一成
（1868〜1956）

陸軍軍人、政治家

第7代（1936〜42）
南次郎
（1874〜1955）

陸軍軍人

第8代（1942〜44）
小磯国昭
（1880〜1950）

陸軍軍人、政治家、首相

第9代（1944〜45）
阿部信行
（1875〜1953）

陸軍軍人、政治家、首相

併合前の朝鮮市場は居留地に限定されており、面的拡大を図るためには鉄道の敷設が急務でした。人や物を大量・高速に運ぶ鉄道は、商品流通に寄与します。

鉄道網の整備は急ピッチで行われました。すでに併合前の一八九九年には仁川〜永登浦間、一九〇〇年には京城〜仁川間、一九〇五年には京城〜釜山間が開通しています。一九一三年には線路は北に延び、京城〜元山間が開通して、開発が遅れていた半島東北部の元山が急速に発展していきます。

よく知られているように、レールの間隔は世界基準が適用され、日本国内の狭軌とは違いました。軍部は国内に合わせろと要求しましたが、朝鮮鉄道の技師たちは「やがては中国や欧州を結ぶ線路にならん」と大きな構想を抱き、軍の提案を退けます。鉄道敷設の目的が軍事だけにあったのではない証左です。

なぜこれほど急ピッチで半島全域に鉄道網を敷くことができたのか。それには理由がありました。

日清戦争で日本が勝ったため、一八九七年に朝鮮は大韓帝国として独立を果たしますが、国王高宗の妻・閔妃の浪費もあって建国当初から極端な資金難でした。そこで高宗は、財源の確保策として鉄道敷設権を列強に売り渡します。

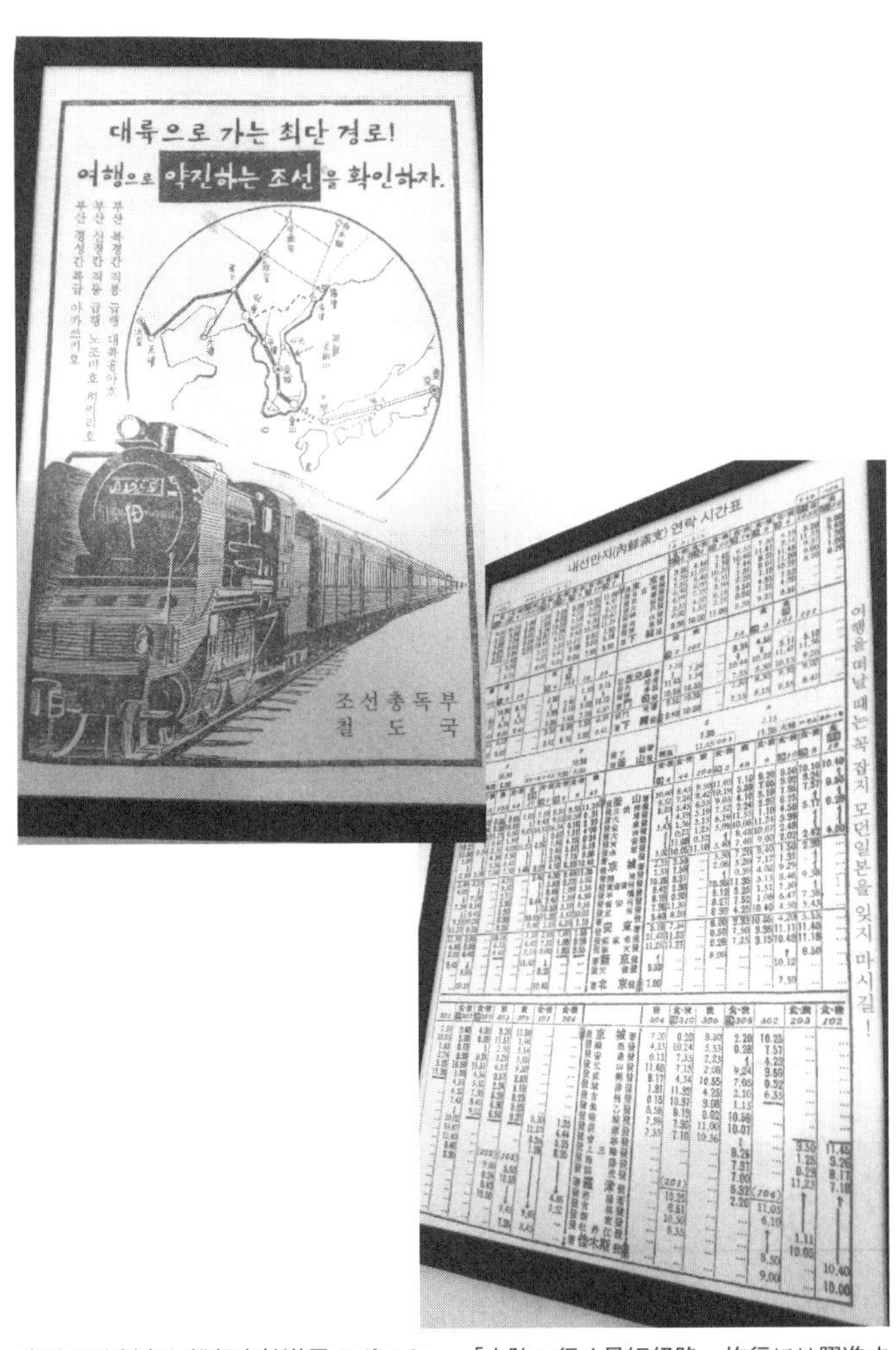

当時の時刻表と総督府鉄道局のポスター。「大陸へ行く最短経路。旅行には躍進する鉄道を使おう」と書かれている。

だが、それだけでは足りず、金鉱・石炭採掘権・豆満江(トマンガン)や鴨緑江(アムロッカン)の森林伐採権、沿岸の捕鯨権なども売り渡しました。そのことを知っていた日本は、列強諸国と交渉を重ねて朝鮮の鉄道敷設権を集めていったのです。

一九二七年に「鉄道十二年計画」を作成し、総投資額三億二〇〇〇万円をもって一二年間で五つの新線計八六〇マイル(1370キロメートル)を建設し、六つの私鉄道を買収する計画を立てます。鉄道敷設には建設業が必要で、維持にも多くの人員を要しますから、鉄道を突破口にしての産業の発展は、めざましいものがありました。

なぜ日本の保護国となって以降、朝鮮の人口は急増したのか?

併合時代の朝鮮は人口の七~八割が農民で、当初、産業と呼べるものは農業しかありませんでした。

併合直後の一九一〇年三月、総督府は土地調査事業を開始。人口の集計と土地の位置、所有関係を調査し、公平な課税の下で税金を正確に徴収することを図ります。土地の所有が明確でなければ近代国家の税収は安定しない、という大原則に忠実に従ったまでのことでした。

ところが、李朝時代は一度も近代的な全国規模の土地調査は行われておらず、役所には土地の権利を証明する資料の一篇もなかったといいます。飢饉の年には重税を逃れたい農民は土地を捨てて逃げ、打ち捨てられた土地は好き勝手に売買されていたのです。八年一〇カ月をかけて総督府の土地調査事業が完了し、土地の所有者が確定することで、朝鮮の農業が近代的土地制度に組み込まれます。李朝時代の国有地と、調べを尽くしても所有者がわからない土地は、日本の国有地として扱われました。このことをもって韓国は、「総督府は土地を盗んだ」と今でも抗議していますが、持ち主不在の土地が国有地となるのは近代国家の常識です。

一九一八年、日本で米騒動が起きたのを受けて、一九二〇年から朝鮮での「産米増殖計画」が推進されます。土地制度が確立していたからできたことですが、朝鮮での米の生産量を上げ、日本への輸出を増やすのが目的です。当時、朝鮮から日本への輸出は八割以上が米を含む穀物でしたが、年によって収穫の不安定なことが問題でした。

灌漑設備が未熟で水田の八〇%が雨水に依存している状態です。そこで、ダムや貯水池がほとんどない状態を改善すべく、一九二六年に「産米増殖計画」が更新されます。半島全土にわたり、灌漑設備の設置、肥料の改良、冷害に強い品種の育成、農機具の工夫が図られていきました。

特に功を奏したのが一九三三年より導入された新品種「亀の尾」です。これにより生産が増大され、併合の年（一九一〇年）の生産高一〇〇〇万石は、一九四〇年代には二倍の二〇〇〇万石へと増加しました。

朝鮮から日本に輸出された米は評判を呼んで、大阪などでは消費量の七割を占めるほどの人気を獲得。需要の高まりとともに輸出量も増えていきます。

農業生産が上がれば民が食えるようになり人口が増えるのは当然のこと。次ページの図を見ればわかるように、日本統治時代、朝鮮の人口はものすごい勢いで伸びていきます。李朝時代の人口の伸びは微々たるものでしたが、日本の被保護国となった一九〇五年から急速に人口は増加し、ついには二倍ほどにもなっています。食糧事情が大幅に改善され、健康管理が進み、乳幼児の死亡率が低下したためです。

本当に日本が一方的に収奪したのなら、はたしてこんなに人口が増えるでしょうか。ちょっと考えれば、答えはおのずとわかるはずです。

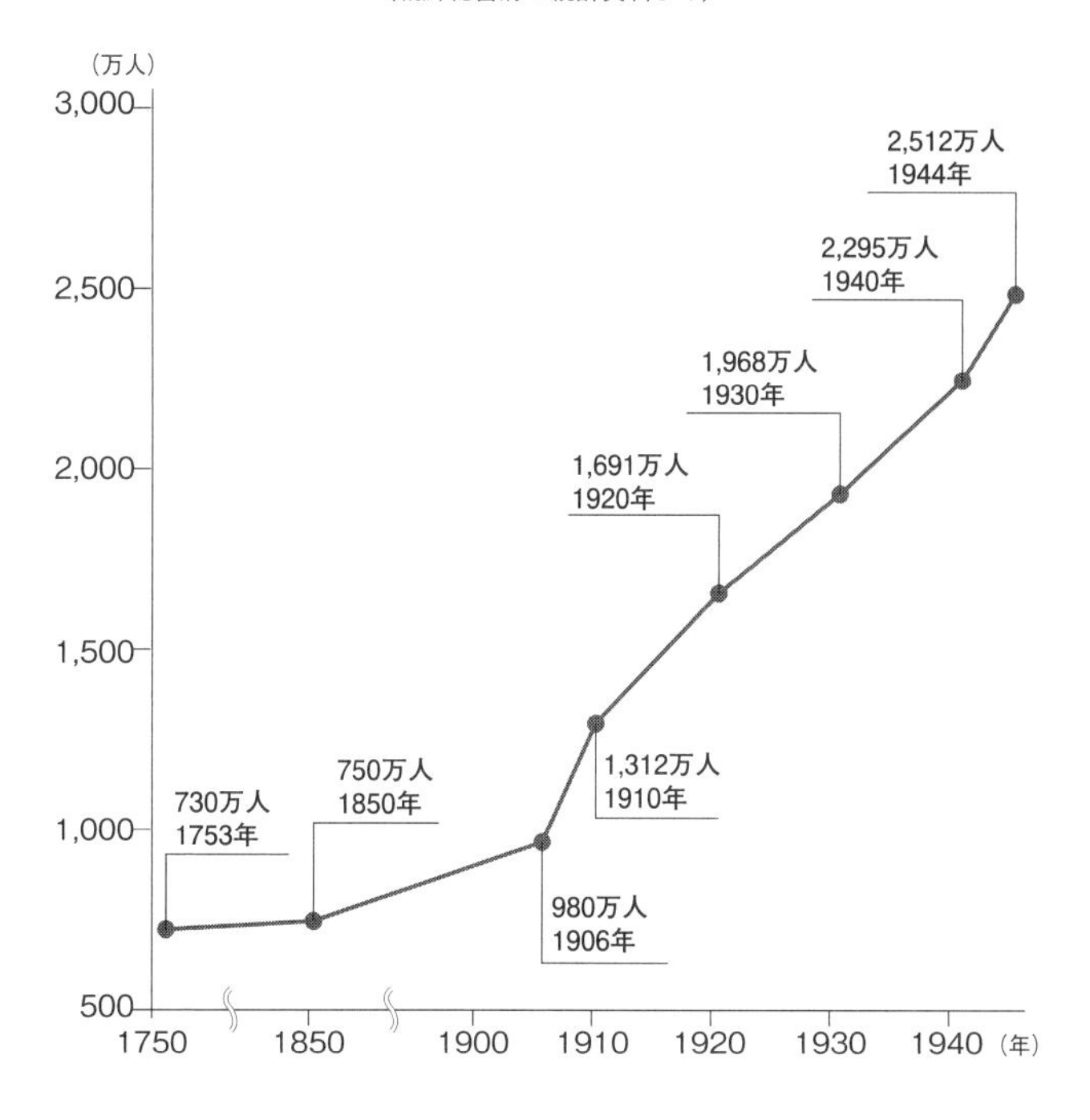
朝鮮の人口推移
（朝鮮総督府の統計資料より）
（万人）
3,000
2,500
2,000
1,500
1,000
500
2,512万人
1944年
2,295万人
1940年
1,968万人
1930年
1,691万人
1920年
1,312万人
1910年
980万人
1906年
750万人
1850年
730万人
1753年
1750
1850
1900
1910
1920
1930
1940
（年）

民族主義者も取り込んで進んだ朝鮮社会と文化の近代化

一九一九年の三・一独立運動の激しさに直面した総督府は、力の強制による今までの統治が通用しないことを悟って路線を大きく転換させました。この年の九月に新総督の任に就いたのが斎藤実です。

これ以降、一九二七年一二月から二九年八月までの間は山梨半造(やまなしはんぞう)陸軍大将に総督職を譲りましたが、一九三一年六月までの長きにわたり、斉藤は朝鮮総督の地位に就き続けました。この斎藤の統治期間が、いわゆる「文化政治」の時代です。

この時期、朝鮮の近代化は大いに進みました。斎藤が掲げた「文化の発達と民力の充実」が実現していったのです。さらに、斎藤の直属の部下として腕を振るったのが政務総監の水野錬太郎(みずのれんたろう)でした。

斎藤と水野の二人は矢継ぎ早に、教師らの帯剣義務の撤廃、朝鮮人官吏の給与改善、憲兵警察制度の廃止、普通警察制度の発足、朝鮮語新聞の発行といった融和的な政策を次々と実施していきます。

その政策の基本は「内地延長主義」と呼ばれるもので、日本との差異をなくすというところにその狙いがありました。たとえば、「普通警察制度」は憲兵警察制度に代わるもので、一府（日本国内の市に当たる）に一警察署、一面（村に当たる）に一駐在所を設けて治安維持を図る制度のことです。

総督府がそうした政策遂行のために注目したのが、併合後の近代化により勢力を伸ばしてきた旧郷吏層でした。彼らは両班からは下に見られ、中央官界には進出できないでいましたが、近代化以降は土地の所有権を確立して財を成した新興の地主として、また企業家として、地方で影響力を蓄えていました。

斎藤や水野らは、彼らを道や府、面の議会に積極的に参加させていったのです。これによって地域の実情が把握できるようになり、治安の安定につながりました。

また、旧郷吏層も朝鮮人の地位向上を総督府に訴えることができ、教育問題、女性の権利、労働者の待遇改善などが図られます。民情を汲んで緩やかに広げられた統治の網は、民衆を啓蒙していくこととなり、対話や合法的取引といった（今では当たり前の）手段が経済活動において一般化していきました。

さらに、近代化を促進するには言論の確立が欠かせません。斎藤は一九二〇年一月に「東亜日報」「朝鮮日報」「時事新報」という朝鮮語新聞の創刊を許可し、在朝日本人のために出されていた日本語新聞「京城日報」にもテコ入れしていきます。

「京城日報」は、初代統監伊藤博文（日韓併合までは朝鮮統監府でした）が創刊したもので、機関新聞としてもっぱら総督府の政策を宣伝するものでした。それが、斎藤のテコ入れにより、国際問題や日本国内の記事も掲載して一般新聞に近づいていきます。

この路線変更には、現実的な漸進主義改革を説いた副島道正（そえじまみちまさ）社長の穏健路線の影響があったようです。記事を読むと、かなり自由な論調であったことがうかがわれます。副島社長は大正デモクラシーの影響を色濃く受けた言論人でしたが、一九三一年に社長を辞任してしまいます。

それ以後、「京城日報」は同化政策を理想化する記事が目立つようになり、総督府の御用新聞化していってしまうのです。これは、ちょうど斎藤による統治が終了する時期と符合しています。

現在も韓国の代表的新聞であり続けている「東亜日報」「朝鮮日報」などは、総督府

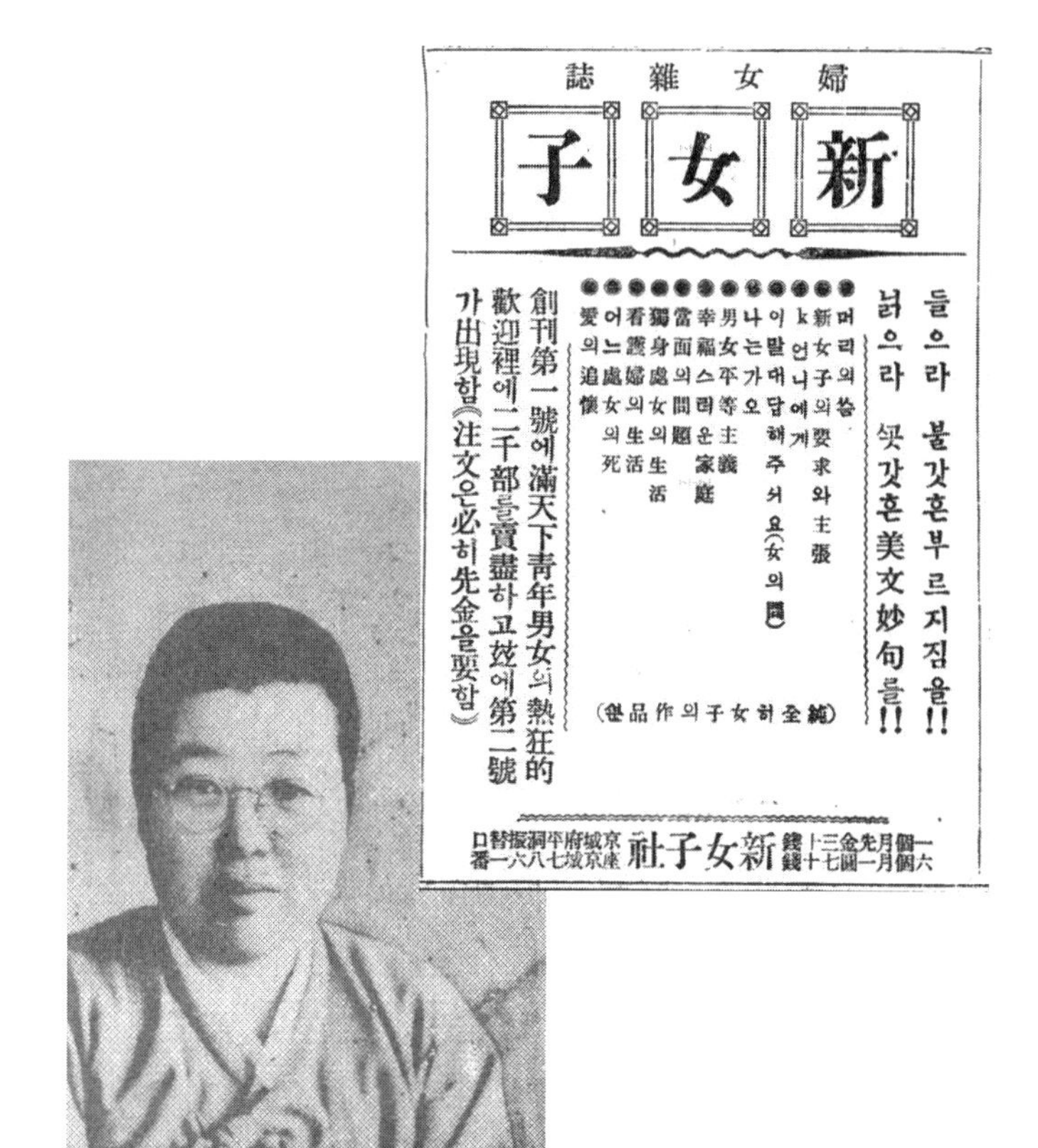

女性の社会進出も併合時代に進められた。1920年に創刊された雑誌「新女子」。金活蘭（1899～1970）は1931年に朝鮮人女性で初めて博士号を取得（米コロンビア大学）し、戦後は世界最大規模の女子大である名門・梨花女子大学の初代総長となった。

の圧政を訴える論調で部数を伸ばしていきますが、総督府はこれらの民族新聞を発行停止にはしませんでした。

「東亜日報」は、戦時統制下に入った一九四〇年八月に廃刊されますが、それまでは削除命令や販売禁止処分を受けながらも存続しています。

日本側がやろうとすれば、いつでも即座に発刊停止にできたはずですが、そうはしませんでした。これは総督府が民族主義者を弾圧するのではなく、むしろ積極的に取り込んでいくことで民族主義の穏健化に努めていた証拠ではないでしょうか。

独立運動家の李光洙（イグァンス）や民族主義者の崔南善（チェナムソン）などが「東亜日報」で活躍していたことを思い起こせば、そのことはよく理解できるはずです。

朝鮮人の精神と肉体を解き放った現代に続く近代化のレガシー

マラソンメダリストを育てた一人の日本人体育教師

のちほど詳しく解説しますが、儒教には「労働蔑視」の考えが抜きがたくあります。肉体労働、手仕事、技術仕事など、頭ではなく身体を使う労働を卑しいこととする価値観です。

面白い逸話が残っています。

李朝最後の国王・高宗の頃には、ヨーロッパから宣教師や外交官が数多く入国していました。ある時、高宗がアメリカ公使館を訪ねると、庭内で公使館員たちがテニスをしています。それを見た高宗は配下の者に「彼らはなぜ汗を流してまでやっているのか。どうして奴隷にやらせないのか」と言ったというのです。この話は、李朝末期にソウルに駐在していたH・B・シル米公使の回想録に出てくるものです。

また、高宗の七男・英親王(えいしんおう)李垠(イウン)と日本の梨本宮(なしもとのみや)家から嫁いだ方子(まさこ)妃との間に生まれ、李王家の嗣子となった李玖(イグ)という子は、女官たちに「ぱたぱたと歩いてはいけません。走るなどもってのほか」と教育されていました。

その後、彼は大阪の尋常小学校に入学したのですが、女官の言い付けを守って運動会で走ることができず、校長先生が代わりに走ったそうです。汗を流すわけにいかないので、校長先生を召使い代わりに使った、というわけです。

一八七六年に日朝国交が成されると、朝鮮から日本へ留学生や、修信使と呼ばれた使節団がたくさんやって来ました。皆若い両班の息子たちですが、彼らは階段を自分の足で上がろうとしなかったそうです。仕方なく、臣下の者二人に抱えられて上がった、と伝えられています。

清朝末期にイギリスの外交官が中国の高官と話していた折に、テーブルの足が歪(ゆが)んで

英親王李垠（1897～1970）と梨本宮家（李）方子（1901～1989）夫妻。1920年に結婚、戦後は日本で長らく暮らしていたが、朴正煕大統領の計らいで1963年、韓国に帰国を果たした。

いるのを自分で直した外交官を見て、高官は「こいつは身分が低い奴だ」と考え、以後相手にしなかったという話も残っています。これらのエピソードは、いずれも儒教の労働蔑視から生まれ出たものです。

そんな風土を日本が改革した例として、一九三六年のベルリンオリンピックの男子マラソンに出場した朝鮮人選手について考えてみましょう。一人は優勝した孫基禎（ソンギジュン）選手です。彼のことを知る人は多いですが、実はもう一人、銅メダルを獲った南昇龍（ナムスンニョン）という選手もいました。

平安北道（ピョンアンプクト）生まれの孫選手は、すでに一九三五年に行われた第八回明治神宮体育大会のマラソンで当時の世界記録を樹立していました。世界記録保持者のオリンピック金メダルは、今に至っても彼一人だそうです。マラソンでアジア人が優勝したのも初めてのことでした。

両選手はともに当時「陸上王国養正」と名を馳（は）せた養正高等普通学校（日本の旧制中学に相当）で、長距離の指導を日本人の体育教師・峰岸昌太郎に受けています。

のちに朝鮮体育協会の主事となる彼の指導で、養正高は、陸上王国と呼ばれるまでに

朝鮮日報　昭和十一年八月十日（月曜日）

朝鮮日報　號外

待望의 世界마라손 制覇

朝鮮男兒意氣衝天！

孫君一着、南君三着

三十個國五十六名選手出

超人的新記錄

【伯林올림픽스타듸엄 九日發至急電報】 삼십여개국 오십륙명의 선수가 출장하엿든 세계주시의 마라손에 손긔정（孫基禎）군이 두시간 이십구분 십구초이의긔록으로 일착을하야 명예의 우승을하고 남승룡（南昇龍）군은 삼착을하야 각히입상햇다

一着 孫基禎 2時29分19秒2　四着
二着 하퍼ー（英國） 2時31分23秒2　五着
三着 南昇龍 2時31分42秒　六着

손긔정군의용자

孫南兩選手가 걸어온 苦難의 길

榮譽의 우리孫君

孫基禎（1912〜2002）、南昇竜（1912〜2001）両選手のオリンピック金、銅メダル獲得という快挙を伝える1936年8月10日付「朝鮮日報」（上）。一方、同年8月25日付「東亜日報」の記事（下）では、本来はあったはず（右）の胸の日の丸が消されている。

成長し、大阪神戸間中等学校駅伝で三連覇という快挙も成し遂げています。朝鮮人・日本人の区別なく指導した賜です。

別の言い方をすれば、儒教に縛られて走ることを忘れてしまった朝鮮人を、日本人が目覚めさせた、とも言えるでしょう。

孫選手は一九八八年のソウルオリンピックの開会式で、最終聖火ランナーを務めています。極端な話、峰岸の指導がなければ、聖火ランナーどころかソウルオリンピックの開催など、ありえなかったかもしれません。

日韓併合時代に才能を見出された世界的スター「半島の歌姫」

日韓併合時代に朝鮮人が儒教のタブーを打ち破って肉体を解き放った例を、もう一つ挙げておきましょう。

併合時代に最も多く商品広告に登場した朝鮮女性、「半島の歌姫」こと崔承喜です。

彼女は、エキゾチックなダンスでその名を日本だけでなく、アメリカ、南米、ヨーロッパにまで広め、川端康成、ジャン・コクトー、ピカソ、ロマン・ロランといった一流の芸術家を魅了した国際的大スターでした。

一九一一年、京城の没落両班の家に生まれた彼女は、貧しいながらも名門淑明女学校を特待生で卒業し、日本モダン・バレエの祖・石井漠(いしいばく)に弟子入りして内地に渡ります。そして、石井漠舞踊団の若きスターになりました。

その後一九二九年、故郷京城に小さな研究所を開いて後輩の指導に励むかたわら、朝鮮の伝統舞踊の蒐集(しゅうしゅう)と研究に入ります。これによって、妓生(キーセン)(芸妓)の宴会芸として細々と命脈を保ってきた朝鮮舞踊が、生き生きとしたモダンダンスと融合していったのです。

それから六年後の一九三五年、崔承喜舞踊団を旗揚げ。世界的スターとして華々しい活躍を遂げていくのです。

一九三七年のアメリカ公演では大成功を収め、翌々年には活動の本拠をパリに移し、全ヨーロッパの公演旅行を実現します。フランス留学中の周恩来がステージを見て虜(とりこ)になったのは有名な話です。

一九四三年には、東京・帝劇を借り切っての二五日間ロングラン公演を実現。このように、長きにわたり国際級ダンサーの絶頂期は続きます。

日本の敗戦を北京で知った彼女は、日本軍の慰問公演への出演が仇（あだ）となり「親日派芸術家」の烙印を押されて運命が暗転。平壌にいた夫・安漠（アンバク）に合流すべく北朝鮮に渡ったのち、紆余曲折を経て投獄されてしまいます。

こうした数奇な運命により彼女は伝説化していくのですが、日韓併合時代に才能を見出され、肉体を武器に世界を魅了した大スターがいたことは覚えておいていいことだと思います。

この時代、朝鮮はある意味、解き放たれていたとも言えるでしょう。

もし朝鮮が日韓併合を経験せずに、そのまま儒教の軛（くびき）のままに李朝時代を続けていたら、世界一のマラソンランナーを出すことも、世界的な女流舞踏家を生むこともけっしてなかったことでしょう。体を動かして早く走り、舞踏で感情を表現することなど、恥ずべき行為であったからです。

世界的ダンサーとして活躍した崔承喜（1911～1969？）。没年が「？」なのは、北朝鮮渡航後に「ブルジョワ分子」として粛清され消息不明になったが、2003年に突如、北朝鮮が1969年に亡くなったと発表したためである。

ハングル使用を推し進めたのは、統治時代の日本人だった！

ほとんどの韓国人は知らないようですが、ハングルを普及させたのは実は日本人だったのです。

李朝五〇〇年の間に、韓国は国民文学と呼べるものをほとんど生んでいません。朱子学に基づく小説蔑視に加えて、自分の国の言葉そのものを軽視したためです。

実は、かつての日本もそうでした。日本ではひらがなカタカナの「かな」に「仮名」の字を当てますが、これは「仮の文字」という意味。今ではこの言葉は使われませんが、「仮名」に対しての漢字が「真名(まな)」（真の文字）で、漢字のほうが高級で正式な文字という意味です。

工夫の末にひらがな、カタカナが生み出された当時は、この新しい表記法を卑下する傾向もありました。しかしながら日本人は非常に実利的で、かな文字の価値と効用を認めて活用していき、公文書は漢字、文学や日常生活の記述にはかな文字という使い分けを進めていきます。

一方、韓国で自国の文字が生まれたのは、李氏朝鮮第四代の世宗大王（在位一四一八～一四五〇年）の治世時の一四四三年のこと。

名君といわれる世宗大王は、庶民が朝鮮語を自由に読み書きできるように新しい文字を作ろうとしました。ところが世宗の計画に家臣たちは猛反対します。中国由来の漢字があるのに、新たに文字を作るなど「中国様」に対して申し訳ないことだとしたのです。激しい反対にほとほと手を焼いた世宗は、せっかく作ったハングル（偉大な文字）を、文字ではなく「訓民正音＝民に正しい発音を教えるもの」と言わざるを得ないところまで後退させられます。

しかし、なかなか普及は進まず、それどころか官僚たちは、訓民正音を「諺文」と呼んでバカにします。「諺」とは俗語のことです。崔万里という大臣は「こんなバカなものをなぜ作ったのか」と猛反対しています。

こうして、せっかくハングルを作ったものの、使われることはほとんどなかったのです。結果、李氏朝鮮で文字（漢字）を読み書きできる人は、高級官僚や知識人などごく限られた人間だけでした。

これも、新しいものを受け入れようとしない朱子学のダメなところの表れです。ところが、そういう朝鮮に対して「あなたの国にも、いい文字があるではないか。どんどん使ったらいい」と、ハングル使用を奨励した人たちがいます。それは、ほかならぬ併合後の日本人でした。

「日本人は悪いことしかせず、韓国の文化に貢献などしなかった」と教えられてきた韓国人が知らない、とっておきの話です。

統治時代、日本は朝鮮語の使用を禁じることはなく、話すのも書くのも自由でした。教育の普及によって、ハングルによる識字率は当然高まっていきます。

学校教育の中で朝鮮語の使用が禁じられたのは統治時代最後の七年間だけです。一九三八年四月に学校の正課から朝鮮語がなくなり、教科書が日本国内の同じものになりました。

また一九四〇年に入ると、朝鮮語の新聞が総督府の発行する「毎日新報」と官報を残して廃刊になります。戦局の悪化を受けての「挙国一致体制」を完備するためですが、それまでは朝鮮語（ハングル）の使用は、朝鮮国内の学校教育の中でごく自然に行われていたのです。

近代語と近代知識の普及に大きな役割を果たした意外な人物

漢字とハングルが混合された近代朝鮮語の成立に大きな役割を果たしたのが、あの福沢諭吉です。かねがね近隣諸国に〝文明開化〟の仲間を作りたがっていた福沢は、中国には仮名交じり文がないので民衆の教育・啓蒙は難しいだろう、と諦めていました。ところが、韓国に諺文があると知って、俄然興味を持ちます。福沢は、諺文が日本における仮名のような文字であることを見抜いたのです。

新知識普及のため朝鮮で新聞の発行を思い立った福沢は、私費で当時すでにあった築地活版所に諺文の活字を特注して作り、それを書生・井上角五郎（いのうえかくごろう）に持たせて朝鮮に渡らせます。そして、井上は渡航から約三年後の一八八六年に、諺漢混用の国語新聞「漢城周報」の発行にこぎつけたのです。

従来の朝鮮語には、国際政治や経済、学問を記述する用語がありませんでした。ですから、そうしたことを伝えることができません。それに対して、近代朝鮮語は日本語をモデルとして、新聞発行を目的にして生まれたものです。この誕生を機に、韓国に近代知識が広まったことは言うまでもありません。

朝鮮に近代の扉を開こうとする日本の啓蒙思想家の理想が、韓国語を生んだと言ったといえるでしょう。そして、そこで大きな役割を果たしたのが、長い眠りから目覚めたハングルだったのです。

文化政治期に各種規制が緩和されるのと期を一にして、ハングルの普及運動が展開されます。民間でハングル研究が盛んになっていき、その中核となったのが「朝鮮語学会」です。

朝鮮語学会は各地で講演会を行い、朝鮮語辞書の編集、朝鮮語規範化に関する法律制定などに力を尽くし、教育の恩恵を受けていない庶民層が、ハングルを身につけることに貢献しました。

今の韓国の教科書では、「日本は朝鮮語の使用を禁じ、日本語の使用を強要した」と必ず記してありますが、これはかなり事実に反しています。前述のように、それは最後の七年間だけのことです。

一九一〇年の併合時には一〇〇校ほどしかなかった小学校（四年生の普通学校）は、一

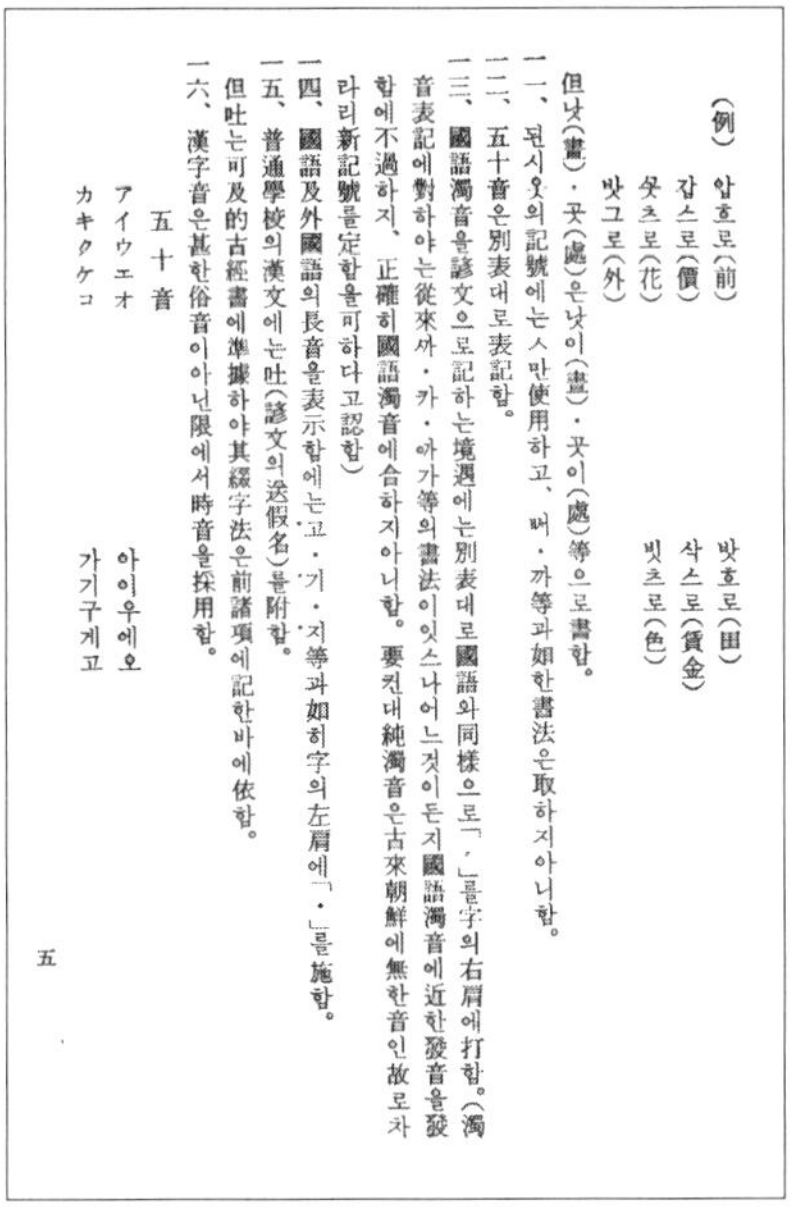

（例） 압흐로(前)　밧흐로(田)
갑스로(價)　삭스로(賃金)
옷츠로(花)　빗츠로(色)
밧그로(外)
但낫(書)・곳(處)은낫이(晝)・곳이(處)等으로書함。
一一、된시옷의記號에는ㅅ만使用하고、ㅄ・ㅺ等과如한書法은取하지아니함。
一二、五十音은別表대로表記함。
一三、國語濁音을諺文으로記하는境遇에는別表대로國語와同樣으로「 ゛」를字의右肩에打함。(濁音表記에對하야는從來ㅆ・ㅋ・ㅺ가等의書法이잇스나어느것이든지國語濁音에近한發音을發함에不過하지、正確히國語濁音에合하지아니함。要컨대純濁音은古來朝鮮에無한音인故로차라리新記號를定함을可하다고認함)
一四、國語及外國語의長音을表示함에는고・기・지等과如히字의左肩에「・」를施함。
一五、普通學校의漢文에는吐(諺文의送假名)를附함。
但吐는可及的古經書에準據하야其綴字法은前諸項에記한바에依함。
一六、漢字音은甚한俗音이아닌限에서時音을採用함。

五十音
アイウエオ　아이우에오
カキクケコ　가기구게고

五

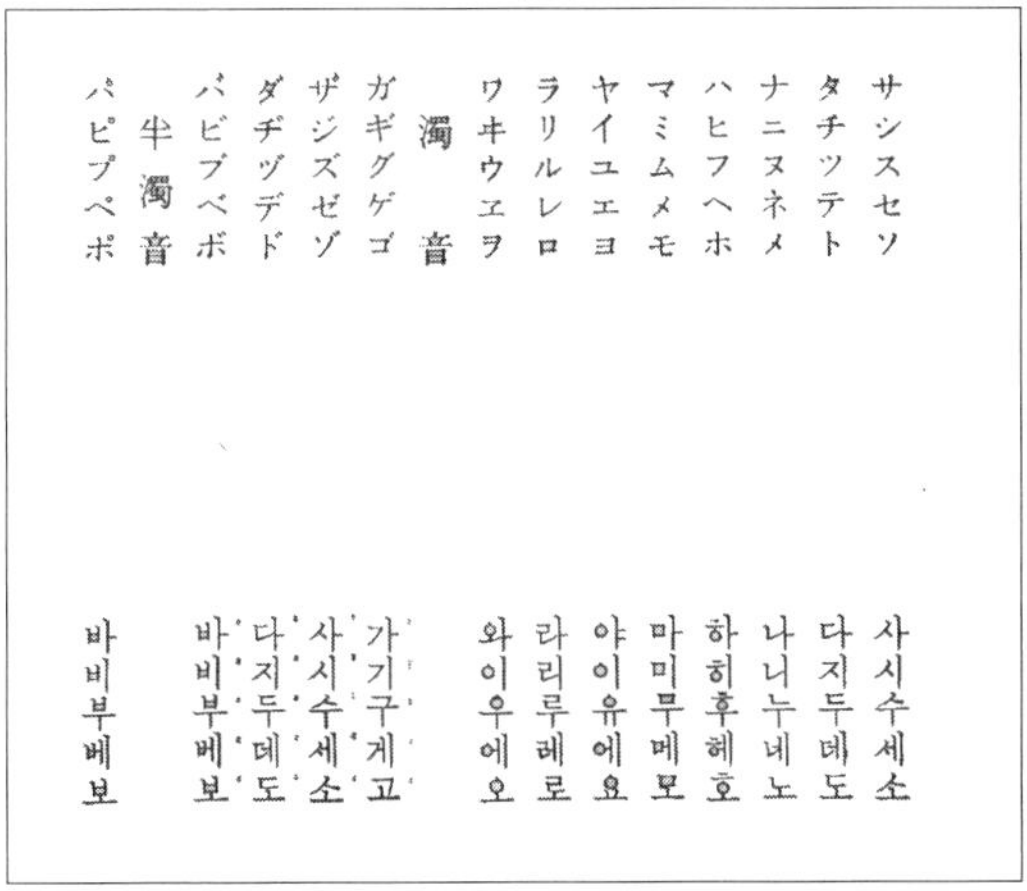

サシスセソ	사시수세소
タチツテト	다지두데도
ナニヌネノ	나니누네노
ハヒフヘホ	하히후헤호
マミムメモ	마미무메모
ヤイユエヨ	야이유에요
ラリルレロ	라리루레로
ワヰウヱヲ	와이우에오
濁音	
ガギグゲゴ	·가·기·구·게·고
ザジズゼゾ	·사·시·수·세·소
ダヂヅデド	·다·지·두·데·도
バビブベボ	·바·비·부·베·보
半濁音	
パピプペポ	바비부베보

1912年に朝鮮総督府が定めた「普通学校用諺文綴字法」の一部。

九四一年に国民学校制に移行した時点で約六〇倍の五九六〇校にまで増えました。字を学ぶ機会を与えられた子供たちは、ここで初めて韓国固有の言語「ハングル」を知ったのです。

日韓関係の喉元に刺さった大きなトゲ「強制連行」の実情

一九三七年七月七日の北京郊外盧溝橋(ろこうきょう)で発生した軍事衝突で、日中は全面戦争へとひた走ります。すると、すぐさま日本政府は国民精神総動員運動を起こし、国家による国民管理を徹底していきました。

戦争の長期化により軍事予算が激増し、物資、労働力の不足が慢性化すると、軍需生産を最優先とする経済統制は強化の一途をたどり、ほどなくしてその波は朝鮮にも及びます。

「強制連行があったかどうか」は、現行の日韓関係の喉元に刺さった大きなトゲのような問題です。しかしながら、韓国側の感情論が先行して、冷静な議論が喚起されない恨みがあります。

朝鮮人が国家総動員体制に組み込まれていったのは歴史的事実ではありますが、それはどのように行われたのか。そのあたりを整理すると、日本本土とはかなり違った形でなされたことがわかり、正しい歴史への理解が開けます。

じっくり見ていきましょう。


一九三〇年代においては、日本国内におよそ三〇万人の朝鮮人がいたとされています。進学のために渡ってきた学生もいますが、多くは職を求めて日本へ来た貧困層でした。日本政府は、朝鮮人の日本への渡航は恐慌下での日本人労働者を圧迫するとして制限を掛けていましたから、希望者はこれに数倍する数だったでしょう。

実は彼らは、日本人としての権利を付与された存在でした。あまり知られていないことですが、一九二五年に普通選挙法が改正され二五歳以上のすべての男子に選挙権が、三十歳以上のすべての男子に被選挙権が与えられた時、日本に居住する朝鮮籍と台湾籍の男子にも選挙権、被選挙権が与えられました。

さらに一九三〇年以降は、日本語ができない朝鮮人に対しては、ハングルで投票用紙に記入することも認められたのです。三二年と三七年の衆議院選挙では、朴春琴(パクチュングム)という朝鮮籍の人間が当選しています。これは忘れてはならない事実です。

内地の朝鮮人が有した権利に比べると、朝鮮在住の朝鮮人のそれは大いに見劣りします。しかし、朝鮮全土へ参政権を付与するには、日本人と朝鮮人に分かれていた戸籍を統一する必要がありましたし、権利にともなう義務としての兵役を課さねばなりませんので、容易に実現はしませんでした（戦況の悪化にともない、一九四四年に朝鮮でも徴兵制が導入されるとともに、その時に参政権の付与も検討されましたが、終戦を迎えうやむやになってしまいます）。

徴用工問題で見過ごしてはいけない「権利」と「義務」のバランス

話を、目下の問題になっている「強制連行」に戻しましょう。

一九三八年の「国家総動員法」は人・物・資源の統制、産業界への国民の徴用、労働争議の制限・禁止、生産・流通・運輸の統制などを議会に諮(はか)らずに勅令で行える、としたものです。

翌一九三九年には「国民徴用令」が出され、男子の中小工業労働者、一四歳以上二五歳未満の独身女性、新規学校卒業生などは、指定された工場で勤務することとなります。この徴用とは、法律に基づいて強制的に従事させるというもので、日本人は断ることができませんでした。

一方、朝鮮人労務者を生産現場に動員する計画は、この法律が成立した年の九月にできました。

動員方法は三種類あります。

民間募集、総督府主導の斡旋、そして徴用です。明記しておきたいのは、動員とはタダ働きではなく、「労働契約」に基づいたもので期間は二年と定められ、雇用した企業からは正当な賃金が支払われていたということです。

募集方式は一九三九年九月から実施され、以後三年間で約一五万人の朝鮮人が日本へやって来ました。この数は目標を大いに下回るもので、募集方式の限界がはっきりしてきた一九四二年以後は官による斡旋方式が新たに加わります。

これは動員に必要な人数を面（村）ごとに割り振り、面の責任で人数を確保するもので、労務者を日本に送り込むだけでなく、朝鮮内の工場、満州へも人材を供給するのが目的でした。この方式の採用により一年で一二万人を超える動員が達成され、労働力不足は短期的ながらも解消に向かいます（しばらくの間は募集方式も併用されていました）。

ところで、日本はなぜ募集や官斡旋にこだわったのでしょうか。本土では国民徴用令が施行されていますから、やろうと思えば国内のルールを朝鮮に適用することも可能だったのではないでしょうか。

そこには二つの障害がありました。募集や官斡旋はあくまで民間企業との労働契約ですが、徴用は法律によって労働条件などが細かく規定されており、労務者は企業だけでなく公機関とも手続きをしなければなりません。しかしながら総督府では、その複雑な事務を遂行できるだけの行政機構が整っていませんでした。

また、徴用という「義務」を課す以上、日本は朝鮮人に参政権や教育の「権利」を与えなければなりません。近代国家としての基本的な考えを、日本が持っていたという証しです。

陸海軍は朝鮮人を工員として徴用することを、総督府に求めていました。しかしながら、権利と義務のバランスを踏み外さないことを国家運営の基本としていた日本は、その要求を長く拒み続けたのです。

一九四四年九月になって、極端な人手不足に直面した結果、朝鮮半島にも三つ目の動員方式として徴用制度が導入されますが、四五年三月までは三つの方式が併用されていました。

このような経緯を見ていくと、「強制的に連行されて奴隷のように働かされて賃金などもらえもしなかった」という主張は、そのまま受け取るわけにはいかないことが明白かと思われます。

日本国民の「義務」の最たるものであった徴兵制が朝鮮で採用されたのは、終戦を三年後に控えた一九四二年になってからのこと。さらに、実施されたのは一九四四年、終戦の前年でした。入隊後は訓練があったので、実際に戦場に出た朝鮮人はほぼいなかったのです。

兵力増強を訴える陸軍内の朝鮮軍は、以前から朝鮮人を徴兵できないかと検討していました。総督府も対策を練っていたようで、徴兵制が布かれる前の一九三八年に「朝鮮人特別志願兵制度」ができたのです。

これは名称のとおり、あくまで志願制のもの。ところが、初年度の倍率はかなりのもので、四〇八名の採用数に対して応募者は二九四八名にのぼったといいます。志願兵の大半は貧しい農民層で、食い扶持を稼ぐための志願でした。ただし日本語が不自由な者が多く、軍事行動に適しているとは言えなかったようです。

敗色濃厚となる中で、日本の若者は次々と動員されて国内の大学キャンパスに日本学生がいなくなり、朝鮮と台湾の留学生ばかりになっていましたが、彼らが兵に取られることはありませんでした。

では、なぜ政府は朝鮮での動員を志願制の段階にとどめて、徴兵制を導入しなかったのでしょうか。

それは、徴兵制を導入して軍役という「義務」を課せば、「権利」である参政権などを与えなければならなかったからです。前述したように、それが近代国家の基本方針であるということを日本政府は深く認識していました。その点においては、たしかに「不公平」と言えないこともありませんが。

第三章

恩を仇（あだ）で返し続けた戦後七五年の非道

大罪三

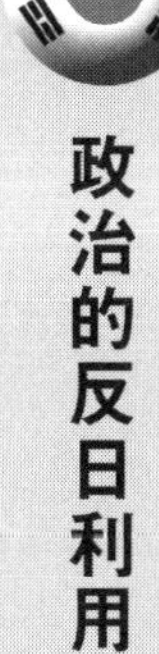

政治的反日利用

政治と経済の両面できしむ幻想の戦後日韓共同体

支配の正当性がまったくなかった、李承晩(イスンマン)率いる戦後の新政府

韓国の憲法前文では「現在の韓国政府は三・一独立運動により建てられた大韓民国臨時政府が歴史的正当性を継承している」と規定し、現行の教科書でもそのことが必ず書かれています。これは本当のことでしょうか。

教科書のこのような記述には民族主義的な価値観が前面に出すぎていると考える学者は、実は韓国ですら多くいると聞きます。それなのになぜ、こんなことになっているのでしょうか。

三・一独立運動の発祥地となったソウルのタプコル公園。運動の中心人物が呂運亨（1886〜1947）だ。実は親日派だったという噂もある呂は、終戦後も政治活動を続けたが1947年に暗殺される。李承晩派の犯行説が有力だとされるが詳細は不明。

第二次世界大戦後、朝鮮半島が南北に分断されたのち、それぞれの国の指導者は、自らが「日本からの独立の旗手」だったことを、政権の正当性を立証するための手段として使わざるを得なかった事情を考慮してみる必要があります。まずは、そのことから少し振り返ってみましょう。

戦後、韓国政府を率いた李承晩（イスンマン）の政治手法は、「日本に支配された」ということと、「日本に抵抗した」という二つのことを強調することでした。民族感情を煽（あお）り、その上に乗っかっての政権維持をしなければならないわけですから、いきおい、戦前の抵抗運動を輝かしい自国の歴史として顕彰することとなります。

大韓民国臨時政府は、一九一九年に発生した三・一独立運動を受けて、同年四月に上海のフランス租界に誕生しました。設立時の指導者は呂運亨（ロウニョン）と金九（キムグ）です。呂は終戦後に「建国準備委員会」を設立して、総督府との交渉の窓口に立った民族運動家。一方の金は、韓国では安重根（アンジュングン）と並び称される革命義士として著名です。

ところが、大統領に選ばれたのは、この二人ではなく、李承晩でした。彼は当時アメリカに亡命中で翌一九二〇年十二月に合流します。これ以前に朝鮮国内に漢城政府があり、ロシア領内にも露領政府がありました。前者の担い手はキリスト教系知識人や学生、後者は社会主義者たちの集まりです。

この両者を統合する形で設立されたのが大韓民国臨時政府で、独立資金の募集、機関紙「独立新聞」の発行、国際会議への使節団派遣などを展開。ところが、まもなく寄り合い所帯ゆえの内部対立を深め、弱体化していきます。組織の弱体化は迷走を生み、独立運動としての成果らしい成果を上げられぬままに、実績を残すことなく一九四五年の終戦を迎えてしまいました。

臨時政府の弱体化の原因の一つに、李承晩の求心力低下があります。

彼がアメリカで「韓人自由大会」を開催し、臨時政府樹立を宣言した時のこと。日本の支配下にあるよりはまだましと、当時のアメリカ大統領ウッドロー・ウィルソンに向けて、国際連盟による朝鮮の委任統治案を独断で請願したのです。

この身勝手な行動によってメンバーから激しい非難を受け、李は臨時政府大統領を解任されます。当然のことながら、李承晩の案は日本との衝突を避けたいアメリカからは無視されました。この時期、多くの独立運動家が仲間割れを起こし、臨時政府を去っていったのです。

この後、金九が、外交重視だった李承晩の政策を転換し武力闘争路線に舵を切ることで、組織を立て直します。そして一九三三年に中国国民党の蔣介石と面会し、軍隊を持つことを勧められたため一九四〇年に本部を重慶に移し、独自の軍隊（光復軍）を設立しました。

ところが、光復軍の命令権は中国軍事委員会が握り、中国人将校が作戦と人事を指揮するという、実質的には国民党軍の下部組織にすぎないものでした。当初の隊員はわずかに三〇名。のちに一九四五年三月になって、ＣＩＡの前身「ＯＳＳ」（アメリカ戦略事務局）が政治工作活動に使おうとして光復軍を西安で訓練したりもしますが、訓練中に終戦を迎え、光復軍が主体的に動けたことはついぞありませんでした。

このように、終戦に至るまで、アメリカやイギリスは一貫して朝鮮を独立国とは認めていなかったので、戦後の新政権は支配の正当性が担保されてはいません。

つまり、こうした歴史的事実を拡大解釈してまでも、臨時政府に独立後の政権のルーツを求めざるを得なかったということが独立直後の韓国政府の「弱み」だったのです。実際のところ、独立運動家たちの意見対立を収束できるリーダーがおらず、常に他国に頼らざるを得ない、まったく受け身の独立運動でした。

独立直後の混乱が醸成した反日キャンペーンの源流

朝鮮半島に「戦後」がどのように出現したかを見てみると、政権が自らの正当性を誇張せざるをえない苦しい胸の内もわかります。

一九四五年八月一五日、のちに韓国で「光復節」と呼ばれる記念日が突然やってきます。中国大陸にいた光復軍が母国奪還のための軍事行動をすることなど一度もないまま、宗主国だった日本の敗戦によって、まるで天から降ってきたかのように解放の日を迎えたのです。

第二次世界大戦で朝鮮半島は戦場にならず通信網が維持されていたため、京城放送局は天皇陛下の玉音放送を流し、その日のうちにビラや壁新聞を通じて半島全域に「日本が負けた」ことが伝わりました。しかしながら、有史以来中国からの侵略に苦しめられた朝鮮としては、自分たちが何もせずにいきなり戦争が終わったことに対し、その実感はなかったのではないでしょうか。戦いの末に勝利した、という思いからは遠いものがあったに違いありません。

はたして朝鮮は独立ができるのか。それすら当初はわかりませんでした。その命運を握っているのは連合国軍です。連合国軍の中でも、朝鮮半島の独立を認めると他のアジアの植民地を刺激してしまうと、植民地の再統一を目指していたイギリスなどは危惧（きぐ）していました。

総督府は「朝鮮の住民が暴徒化して、日本人に危害を加えるのではないか」と恐れ、民衆から絶大な支持があった呂運亨に助けを求めます。呂はすぐさま「建国準備委員会」を設立。政治犯の釈放を実現し、京城放送で「朝鮮人たちよ、秩序を維持せよ。建国のために準備せよ」と訴えたことにより、この時初めて民衆は「独立」を意識し始めたのです。

一方、満州に侵攻していたソ連は朝鮮半島に南下し、北部を占領し始めます。朝鮮がソ連に占拠されると半島全域に社会主義政権ができてしまうとアメリカは慌て、トルーマン大統領はスターリンに向けて「一般命令第一号」を送ることになります。これはつまり、「沖縄を含む日本はアメリカが単独で占領する。その代わり朝鮮は北緯三八度線で米ソが分割で占領しよう」というものです。

1945年、日本が降伏すると、米軍によって朝鮮総督府前の日の丸が下ろされた。

たった一週間しか対日戦に参戦していないのに、朝鮮を半分占領できることはソ連にとって当然悪い話ではなく、スターリンはこれに同意。朝鮮総督府は米軍が到着するまでの間、引き続き半島の統治を任され、南朝鮮の統治を日本が米軍と交代したのは九月八日になってからのことでした。翌九日、朝鮮総督の阿部信行（あべのぶゆき）は、北緯三八度以南の日本軍の無条件降伏と施設権の委譲を取り決めた降伏文書に調印します。

やがて、李承晩がアメリカのハワイから、金九が中国から帰国。すると、まざぞろ民族主義者同士の内部抗争が始まります。日本が引き上げたことで無政府状態になった朝鮮では、経済の統制がとれずに激しいインフレーションが発生し、経済は大混乱を来（きた）しました。

日本が引き揚げたことで韓国は経済基盤を失ってしまい、たちまち世界の最貧国に転落してしまいます。一九四二年から四四年までの間の朝鮮半島からの生産物の対外出荷の中で、日本向けの輸出が約七八％もあったのですから仕方のないことでしょう。

一二月に入り、アメリカ、イギリス、ソ連は、朝鮮を米、英、中、ソによる最高五年間の信託統治とすることを決定します。ところが、李承晩ら民族派はこれに強く反対、朝鮮共産党らの左派勢力は賛成と、両派の対立が先鋭化。両派に人望のある呂運亨が間に入りなんとか収めますが、呂は四七年七月に暗殺されてしまいます。暗殺は李承晩の差し金であるとの噂は、今も絶えません。

その後、一九四七年一〇月にアメリカは、意見のまとまらない米ソ共同委員会を打ち切り、国連の監視下での南北朝鮮総選挙の実施を主張しますが、ソ連は国連臨時朝鮮委員会の三十八度線以北への立ち入りを拒否。総選挙は済州島を除く南朝鮮のみで実施されました。

その結果、一九八人の国会議員が選出され、彼らの間接選挙によって初代大統領として李承晩が選ばれます。こうして一九四八年八月十五日、今に続く「大韓民国＝韓国」が成立したのです。

韓国の反日キャンペーンの裏には、「北は抗日パルチザンで戦ったが、独立に際して南は何もしなかった」ということを糊塗したい、傍観していただけという後ろめたい歴史的事実から目を背けたい、という気持ちがあるのではないでしょうか。

建国当初から「反日」は国是だったと考えると、韓国のことがよくわかるのです。その背景には、経済の困窮が続く現状に対して、「日本統治時代のほうがよかった」と不満を持つ民衆が多くいたことも想定されます。

戦後に重責を担う韓国の民族主義者は戦争中はもっぱら海外にいて、日本に対して直接抵抗はしていません。そこを衝かれると痛いので、ことさら声高に反日の旗を掲げ続けているのかもしれません。

被害額九〇億円、抑留者四〇〇〇人、死者まで出した「李承晩ライン」

かなりの年配の方しかご記憶ではないかと思いますが、かつて「李承晩ライン」という、国際法を完全に無視した理不尽な境界線が、日本海・東シナ海に人為的に引かれていました。韓国という国の本質を知るためには、日本の漁民を長年苦しめた、この非道なふるまいのことを改めて振り返ってみるのも、現在の日韓関係を考え直す上で有益ではないかと思います。

サンフランシスコ講和条約発効を三カ月後に控えた一九五二年一月一八日、李承晩大統領は突如として新たな「海洋主権」を一方的に宣言し、朝鮮海峡の公海上にいわゆる

終戦後、ハワイから韓国へと戻った李承晩（1875～1965）。朝鮮戦争の際に、韓国の金浦空港にやってきたアメリカのマッカーサー将軍を自ら出迎えている。

「李承晩ライン」を引きました。目的は公海上の漁業資源の独占です。

李ラインは当時のどのような国際法をもってしても正当化できるものではなく、当然の如く日本政府は拒否しました。朝鮮海峡は日本漁民が営々と開拓した漁場であり、ここを奪われることは漁民たちの死活問題だったからです。

だが、韓国政府の態度は、まさにどこ吹く風。結局、操業中に韓国船に拿捕(だほ)され、韓国内の収容所に連行されて長期間帰国できないという漁民の悲劇は、以後一四年にわたって続いたのです。

日韓漁業協議会が発行した『日韓漁業対策運動史』の「あとがき」を引用してみます。

日韓漁業紛争は世界に類例のない激しい、そして理不尽の出来事でした。銃撃、拿捕、抑留。あたかも戦争の如きものでした。いや、戦争と言えど、一般産業である漁船への無差別攻撃はなかった筈です。自衛力さえ持たぬ惨めな戦後日本の姿とも考えられるでしょう。相手から銃撃される、連れ去られる、財産生命は奪われる。これを見殺しにするあわれな姿、それが当時の日本の現実であったわけです。同胞の生命財産を保護する目的で派遣される巡視船は、この海へ行く時はわざわざ砲を

多大な犠牲者を生んだ李承晩ライン

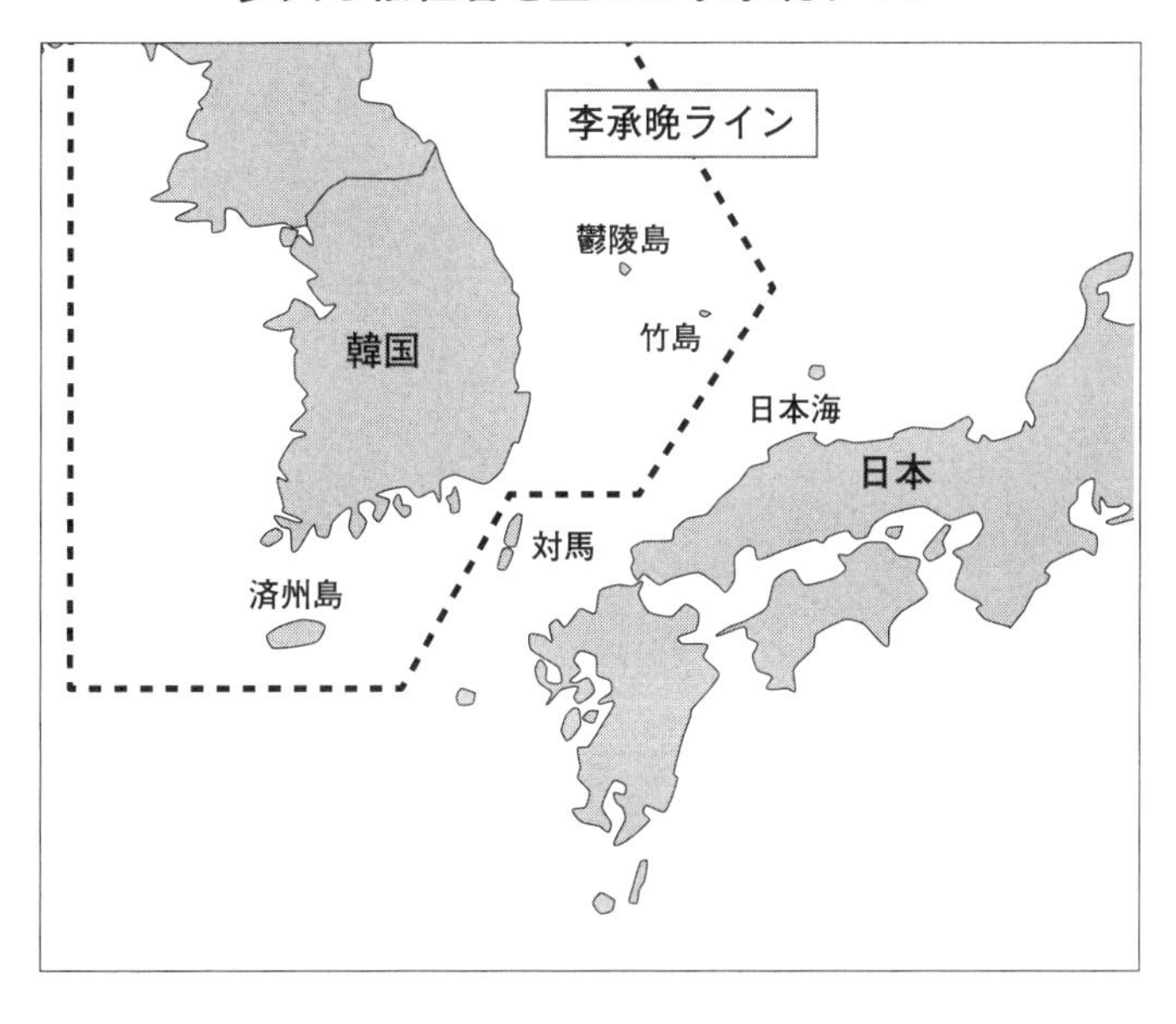

はずして行く無抵抗主義、負け犬が尾を股の下にはさんで行くあわれな格好。それも相手が話せばわかる君子ならいざ知らず、理由の如何を問わず、銃口を差し向ける暴力団であっては論外の筈なのに、そうしなければならなかった当時の実力、全く考えさせられるものがあります。

朝鮮海峡の日本漁船の操業区域を限定するものとして、それまでは「マッカーサーライン」がありましたが、これがサンフランシスコ条約発効の直前に廃止され、日本は晴れて国際法にのっとって公海で漁業ができるようになるはずでした。しかし「マッカーサーライン」廃止の直前に横紙破りの形で「李ライン」がしかれ、韓国の警備艇が日本漁船を捕まえていったのです。

一九五〇年に始まった朝鮮戦争では、国連軍は北朝鮮スパイの浸透を防ぐなどの理由で、朝鮮半島の周囲に「防衛水域」を設け、戦時の臨時措置としてこの中での日本漁船の操業を禁止していました。この水域の警備を任された韓国海軍は、ここぞとばかりに国連軍の威を借りて、「防衛水域」以外でも日本漁船を拿捕していきます。以後、一九六五年の日韓基本条約締結まで、日本漁民は公海上で文字通り命がけの操業を余儀なくされるのです。

韓国との間に武力紛争が起きるのを怖れた日本政府は、巡視船から武器を撤去していました。そのため、巡視船は丸腰の状態で身を挺して漁民を守るしかなく、巡視船自体が連行されることもあったそうです。

一九五四年頃からは、韓国の裁判所が下したはずの刑期を満了した抑留者も釈放しなくなり、何と韓国側は抑留者釈放の代償として日本の長崎県大村収容所に収容されている韓国人全員の釈放を要求します。大村収容所には密航者一〇〇〇人の他に朝鮮人凶悪犯約四〇〇人がいたのです。無論、まったく筋が通らないこの交換条件交渉は、さすがに長期間膠着状態となりました。

交渉を重ねていく過程で、「日本は半島に残してきた日本人の資産返還の請求権を放棄する」という一項を飲まされ、今度こそ抑留された漁民は解放されると喜んだのもつかのま、「さらにもっと取れる」と踏んだ韓国は、身代金として一億ドルを寄こせと言ってきたのです。

この時点で両国間の交渉は万策尽きます。

一九六五年に国交が回復するまでに日本漁民の抑留者三九二九人、うち死者四四人、体に障害負った者八四人に至っています。この間に漁民が受けた物的損害の総額は、当時の金額で九〇億円といいます。

これほどの長期間、何の罪もない日本人を殺害、虐待し、多大な被害を与えておきながら、韓国は現在に至るまで日本に対して、一言の謝罪も何らかの補償もしてはいません。言いがかりのような各種の謝罪を日本に繰り返し強要する前に、自らが謝らなければならない歴史的事実があることを、韓国民は知っているのでしょうか。

日韓国交回復の交渉では、韓国は「人質」にとった抑留漁民を、取引材料に使いました。このことで交渉は韓国側に有利に運び、「日韓請求権並びに経済協力協定」が締結され、韓国は莫大な経済援助をもぎ取ることになるのです。味をしめた、ということかと思われます。

二〇一八年「徴用工訴訟」の本質は、ポスコによる〝育ての親〟への裏切り

今から思えばお人好しと呼べるような親切さで、日本の民間企業は韓国企業に戦後一

貫して惜し気もなく技術供与をしてきました。

『韓国「反日主義」の起源』（草思社、二〇一九年）の著者である松本厚治氏は、かつて「日韓経済関係を考える」と題したレポート（「現代コリア」一九八四年十月号）を作成し、その数量的な分析を試みています。それによると一九六二年から八三年までの間に、韓国が日本から民間技術を導入した件数は一四八六件にのぼり、二位のアメリカの六一〇件を断トツに引き離しています。

サムスン（三星）にシャープはIC製造技術を教え、松下電器（現・パナソニック）はカラーテレビ製造技術を、ソニーはビデオ製造技術を教えました。日本は気前がいいのか、通常はブラックボックス化する重要技術部分もオープンにしての技術供与が多かったといいます。

現代（ヒュンダイ）自動車も、三菱自動車の技術支援がなければ、大衆車の生産をラインに乗せることはできなかったでしょう。

言いがかりの際たるものとして日本を驚かせた徴用工問題で、真っ先に槍玉に挙がった新日鉄住金（現・日本製鉄）は、現在世界で五指に入る製鉄会社・ポスコを誕生させた生みの親です。ポスコの前身、浦項（ポハン）総合製鉄の創始者・朴泰俊（パクテジュン）は八幡製鉄（一九七〇年三月より新日鉄）の稲山嘉寛会長と出会い、製鉄所建設の支援を得て、経験も技術も皆無の韓国に、一から製鉄技術を教えてもらったのです。

浦項総合製鉄は、日韓基本条約にともなう対日請求権で得た資金を元手にして、朴正熙（パクチョンヒ）大統領の肝（きも）いりで一九六八年に設立されました。日本の技術供与で急速に発展し、設立当時、一人当たりの国民所得がわずか二〇〇ドル程度しかなかった韓国の経済発展に、大きく寄与した企業です。二〇〇二年に現在の社名に変更しています。

浦項総合製鉄は韓国の急激な経済成長の立役者として、日本からの援助により三回にわたる事業拡張を経て、当初の国有企業から脱皮して二〇〇〇年に完全民営化を果たしています。

ところが、「恩を仇（あだ）で返す」ということを平気でする韓国の多くの事例にもれず、一国を代表するこの大企業も、恩師である日本企業を訴えるという過ちを犯してしまいました。

ポスコの製鉄技術は二〇〇〇年代から急速に向上し、新日鉄の高品位製品のシェアを奪っていきます。なぜでしょうか。

それは、新日鉄を退職した技術者から、新日鉄が数十年にわたって数百億円をかけて開発した門外不出の「方向性電磁鋼板」という技術を、非合法に受け取っていたからなのです。

二〇一二年に新日鉄は、かつての〝愛弟子〟ポスコと元技術者相手に「不正競争防止法」違反として、一〇〇〇億円の損害賠償と高性能鋼板の製造・販売差し止めを求めて提訴。二〇一五年にポスコから三〇〇億円の和解金を受けることで矛を収めました。

自らのしでかしたことは棚に上げてポスコが提訴した徴用工訴訟に対し、二〇一八年、ご存じのように韓国の裁判所は新日鉄に対して、戦時徴用者への謝罪のみならず賠償金の支払いまで命じました。泉下の朴泰俊も驚いているのではないでしょうか。

日本円の信用がなければ二度も国家破たんしていた韓国

日本の支援がなければ、輸出で成り立つ現在の韓国経済がここまで発展することなどあり得なかったことは周知の事実です。このことを韓国の人々がどのくらいわかっているのか、改めて聞いてみたい思いに駆られてしまいます。

韓国の輸出産業は、素材や部品を外部から仕入れて最終製品に仕立てる、組立産業型です。そこで、いやおうなく鍵を握るのが素材や部品の品質です。

素材や部品を日本からの輸入に頼らざるを得ないのが、今の韓国の実情です。そういう意味で、経済的には日本が韓国の首根っこを押さえているといえます。

サムスンのスマートフォンには、村田製作所や京セラの部品が欠かせませんし、同社の液晶テレビも富士フイルムの光学フィルムが主要部品です。半導体の製造ラインなど、多くの生産設備も日本からの輸入に頼っています。

なぜ部品が日本製品に集中するのかといえば、価格や納期、メンテナンスなどの点で他国より圧倒的に優れているからです。

さらに日本は韓国に、技術供与だけにとどまらず、過去幾度となく救いの手を差し伸べています。

一九九七年末のアジア通貨危機で、韓国はデフォルト（債務不履行）寸前まで追い込まれました。その際に、韓国に一番多くの金を貸し付けていた日本の銀行団が、特例をもって返済繰り延べに応じたことで、韓国は窮地を脱することができたのです。

しかも、「日本は韓国を見捨てない」という安心感が欧米の銀行間にも広がって、彼らも返済繰り延べに応じたのです。これにより韓国は、なんとかデフォルトせずに済みました。

二〇〇八年秋のリーマンショックでウォンが大暴落した折には、緊急措置として日本政府は韓国と二〇〇億ドルの通貨スワップ協定を締結。さらなるウォン暴落に歯止めをかけました。

いずれも日本円の信用という後ろ盾が功を奏して、韓国は国家破たんを免れたわけです。ところが、韓国の日本に対する理不尽な行いは、現在に至るまでやむことはありません。「恨みは覚えていても恩は忘れる」ということなのでしょうか。はなはだ残念でなりません。

常に政治的に正当化される韓国人にとっての「歴史のねつ造」

法の文言から部屋のレイアウトまで、実は日本大好きな韓国の官僚たち

先に取り上げた『韓国「反日主義」の起源』の著者である松本氏は、通産省より派遣されて在大韓民国大使館参事官として現地で長く仕事をしてきた人物です。その際に、韓国の役所がオフィスのレイアウトから机の配置まで日本の通産省と同じで驚いた、と告白しています（「ＷｉＬＬ」二〇一九年九月号「韓国のウソに立ち向かえ」）。

実際どうだったのか、松本氏の文章を紹介しましょう。

考えてみると、それも当然です。韓国政府というのは日本統治時代の朝鮮総督府を引き継いで、内地出身の役人こそ去りましたが、およそ半数を占めていた朝鮮人官吏はそのままそこにいたわけです。（略）機構と人は、朝鮮総督府の時代からずっと連続していたことになります。

日本統治の弊害のみを声高に主張してきた韓国ですが、国家運営の中枢には、かつての日本から学んだ組織やシステムが、そっくりそのまま温存されていたという目撃談は、体験者ゆえの鋭い指摘です。

当時の通産省と韓国商工部の内部組織には、よく似た名称のものがいくつもありました。通産省に基礎産業局、生活産業局という局がある。（略）そうしたら、そのすぐあとに商工部でも機構が改まり、基礎工業局とか生活工業局といった同じような名前の局ができてきました。

また、日本とよく似た機能を持つ特殊法人が至るところにある。

それだけではなく、松本氏によると、現行の韓国の法律の条文は日本のものとよく似ているとのことで、労働組合法などは文言がそっくりだそうです。

その理由を次のように語っているのですが、さもありなんと、大いに納得できるところです。

韓国の法律の多くは日本の法律の翻訳のようなところがある。このような類似が偶然に起きるわけがありません。一つの慣行のようなものとして、当時の韓国ではよく「日本資料」という言葉が使われていました。

役所で政策を考える時に、下から案が上がってくると、局長が「それはわかったけれど、日本資料はないのかね？」と聞くわけです。新しい政策あるいは法律を立案し、立法する時には、上の人はいつも日本の資料を要求する。それに沿っていれば安心するのでしょう。

とんでもベストセラーが呼び起こした、核爆弾投下という〝疑似満足〟

一九九三年、韓国で一冊の反日小説が大ベストセラーとなり、社会現象にまで発展していきます。核爆弾で日本を懲らしめるという内容の、金辰明氏による長編小説『ムクゲノ花ガ咲キマシタ』（徳間書店、一九九四年）です。

同年、元KBS（韓国放送公社）東京特派員田麗玉氏のエッセイ集『日本は何もない』（邦題『悲しい日本人』、たま出版、一九九四年）も出版され、広く話題を呼びました。この本は、「もはや日本から学びとるものは何一つない」と高らかに宣言したものです。

また、購読者数でトップの「朝鮮日報」の日曜版に、東京生まれの作家である李寧熙氏のコラム「うたう歴史」が連載されて好評を博し、多くの韓国人に日本に対する優越感を喚起したのも、同時期のことでした。

この連載は、日本の『万葉集』はすべて韓国語を使って解釈できるとし、日本語の古語が韓国語の古語であったことを牽強付会に「力説」したものです。連載中から、韓国語の古語を研究していた日本人学者から、「学問的にいかがなものか」と痛烈に批判されていましたが、それらの理性的な声が韓国人の耳に届くことはなかったようです。『ムクゲノ花ガ咲キマシタ』が、いかに広く読まれたのか。それは、四〇〇万部発行という数字に表れています。人口五〇〇〇万の国での四〇〇〇万部ですから……。

小説の結末は、核兵器を持つようになった大国・韓国が日本に核爆弾を落とすというものですが、韓国人のカタルシスを満足させて、「反日種族」の溜飲を下げたことは明らかでしょう。

日本から受けた過去の暴力に対して暴力をもって報復する夢を描けば、高揚しつつあった民族主義の熱気に火が点く。そして本も売れる。そのことを如実に示したベストセラーでした。

この小説は、韓国人を実体のない強固な国家幻想に浸らせることになりました。核爆弾投下という暴力的な仮想ゲームを通じて、国民を〝疑似満足〟に走らせたのです。

日本人の過去の暴力を批判して執拗に謝罪を要求する韓国ですが、このことと大いに矛盾するのが、機会さえあれば（自分たちに力さえあれば）日本を暴力的にやっつけようとする、韓国民の願望だといえます。その無意識下にあった願望を表に引き出したのがこの小説だったのです。現在の文在寅大統領もおそらくは、こういう「夢」を抱いていると私は考えています。

政権の都合に合わせて上げ下げされる「反日の旗」

前の章でも解説したように、かつて朝鮮半島は、高句麗、新羅、百済の三国に分かれて果てしない争いを続けていました。その時代から一〇〇〇年以上もたっていますが、実はいまだにその頃の争いに起因したさまざまな問題が解消されていません。

朝鮮半島南西部の全羅道（チョルラド）（旧・百済）と南東部の慶尚道（キョンサンド）（旧・新羅）の確執も、根っこはそこにあります。金大中（キムデジュン）氏は大統領選で、出身地の全羅道では得票率九割を占めましたが、慶尚道では一割にも満たないものでした。

過去の韓国の大統領のほとんどは慶尚道出身。その中で唯一の全羅道選出の大統領が、金大中氏なのです。

彼には慶尚道の人々が何をしても支持してくれないことが、わかっていました。しかし何とかして国民を団結させなければ、自らの政治的生命が危(あや)うい と考えた彼が政治的選択として選んだのが、日本を悪者に仕立て上げることでした。国民の憎しみをそちらに振り向けることによって、国民を団結させることにしたのです。

この方法が成功した背景には、朱子学の影響があると言えばいささか詭弁(きべん)に聞えるでしょうか。いや、実はそうではないのです。

儒教の考えでは「史実」よりも、あるべき姿「理想」が優先されます。そもそも孔子が唱えたのは、つぎのようなことでした。

「今の政治はダメだが昔は周(しゅう)という素晴らしい王朝があり、さらにその前には尭(ぎょう)、舜(しゅん)、禹(う)という聖王がいて理想的な政治をしていたのだから、そこに戻ろう」

つまり、一言で言えば「今は悪い時代だけれど、昔は良かった」という考えです。

朱子学は理想を優先させますから、どうしても現実の歴史はファンタジーになってしまいます。だから、ついついこう考えてしまうのです。

「いまだに韓国に理想の政治が実現されていないのは自分たちのせいでなく、道を誤ら

韓国の行政区分

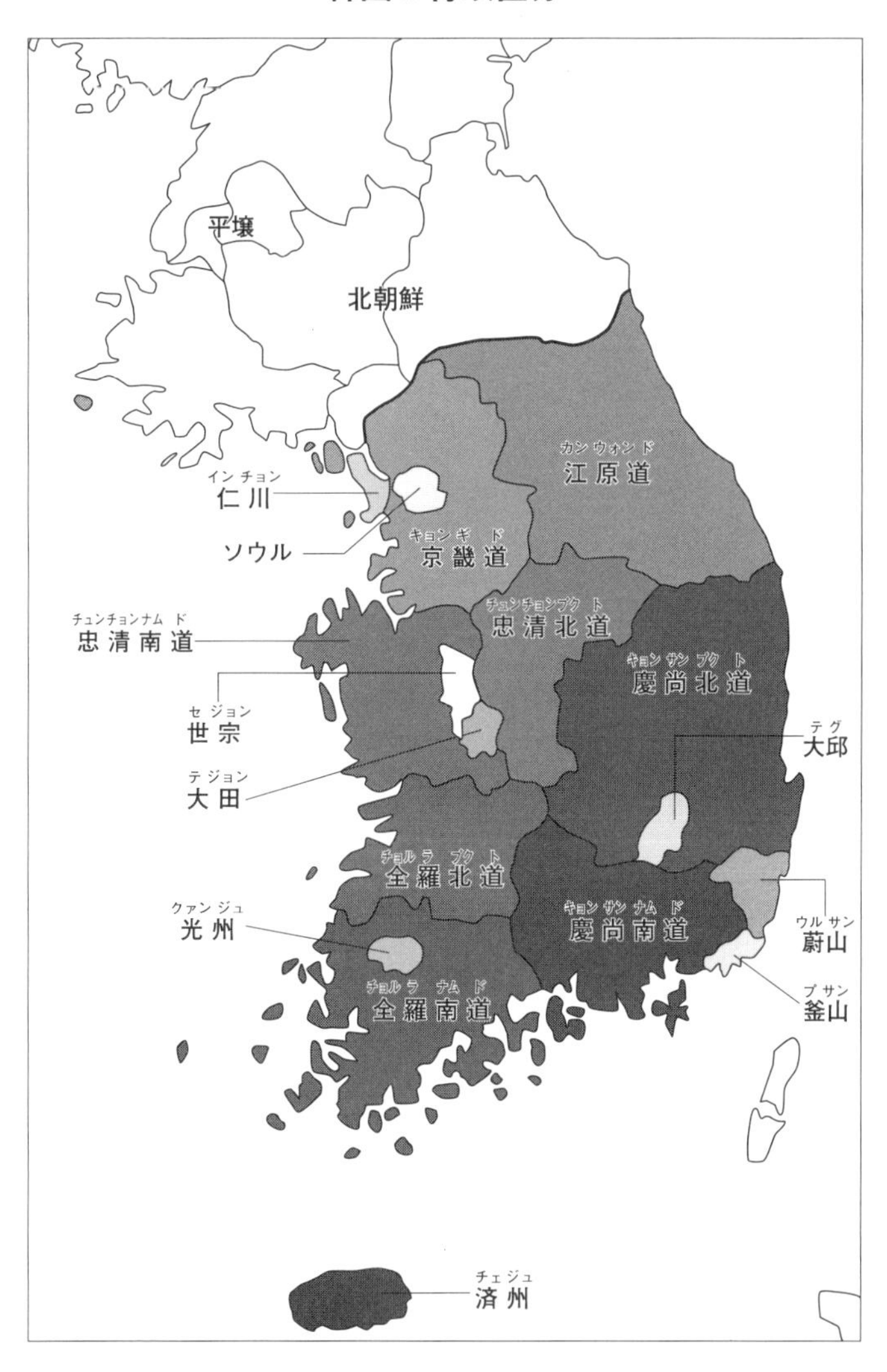

平壌
北朝鮮
カンウォンド
江原道
インチョン
仁川
ソウル
キョンギド
京畿道
チュンチョンナムド
忠清南道
チュンチョンブクト
忠清北道
キョンサンブクト
慶尚北道
セジョン
世宗
テグ
大邱
テジョン
大田
チョルラブクト
全羅北道
クァンジュ
光州
キョンサンナムド
慶尚南道
ウルサン
蔚山
チョルラナムド
全羅南道
プサン
釜山
チェジュ
済州

せた、悪くて卑怯な奴＝日本がいたからだ」
「日本があんなひどいことをしなければ、今頃韓国は、もっともっといい国になっていたはずだ」と。

そこには歴史の正しい検証など存在しません。

かつてはいい時代があった
↓
悪い奴がそれを壊した
↓
だから今がつらいのだ

韓国人は、自然とこういう思考回路になってしまいます。要するに、歴史のねつ造は、彼らにとっては「あるべき姿」に戻ろうとする、何ら後ろめたいことではない、正当な行為なのです。合理的考えとはとても思えないこのようなロジックがすんなりと通ってしまうのは、国民の間に朱子学の抜きがたい悪影響が、今でも残っているからではないでしょうか。

もう一つ例を挙げましょう。

一九九五年に旧朝鮮総督府庁舎を強引に取り壊した金泳三大統領政権下の、いわゆる「文民時代」は、国内に政敵が存在しなくなった時代でした。北朝鮮との関係も悪くはなく、国内の労使問題の状況も改善されていて、独裁政治は過去の遺物となっていたのです。

そんな中で、金大統領は前述の金大中氏同様、自分の立場を強固にし、自らの存在を際立たせるためには、「反日」を国民統合の手段にするしかありませんでした。少し前の時代の統合の旗印である「反共」に代わるものとして、「反日」が国内政治に利用されたのです。

金泳三大統領は、「日本の性根を叩き直してくれよう」と発言しています。それは、私こそが韓国民の意志を代表して日本を懲らしめることができる、という自分勝手な自信の表れでした。

ところが、旧総督府庁舎取り壊しから二年後の一九九七年、韓国は外貨が底をついてしまいます。いわゆる「アジア通貨危機」の到来です。

その結果、韓国は諸外国から借金をしなければならなくなりました。当然、日本からの資金援助も頼みにせざるを得ず、〝反日の旗〟もいやいやながらも下ろすことになります。そして日本は膨大な円借款を実施し、韓国の危機を救ったのは、先に説明したとおりです。

ただし、金泳三氏の後を継いだ金大中氏から現在の文在寅大統領に至るまで、歴代大統領たちが毎度毎度とってきた態度からもわかるように、反日の旗を下げるのはつかのまのことに過ぎないのですが……。

「日本の蛮行」が三割を占める恐ろしい歴史教科書

韓国で反日感情が爆発した一例として、二〇一三年九月一二日付「世界日報」の記事を読んだ時の衝撃は、忘れることができません。「日本統治時代は悪くなかった」と正直に語った九五歳の老人が、路上で殴り殺されたことが報じられていました。

ソウル市鍾路区の公園でのこと。三八歳の青年が老人と言い争いになり、ついには殺人に至ります。

酒に酔っていた青年は、「日本が植民地支配をしたことは良いことだった」という老人の言葉を聞いて怒りを抑えられず、老人が自分の体を支えていた八〇センチほどの杖を奪って頭を殴打。老人はすぐに病院に運ばれましたが、裁判所が青年の行為を傷害事件として扱っている間に老人が死亡。ソウル中央地方裁判所は容疑を傷害致死に切り換えて懲役五年を宣告した、というものです。

驚くべきは、事件後の韓国民の声でした。亡くなった老人への同情よりも、犯人を擁護する声が圧倒的に多かったというのです。犯人は英雄扱いされ、老人は「日帝を賞賛した時点ですでに犯罪者である。殺されて当然ではないか」と非難されました。

韓国では、まだ「長幼の序」が生きていると信じていた私にとって、そんなものはすでに消滅してしまったのだと思わせる、悲しいニュースでした。

今の韓国は、殴り殺される覚悟がなければ、日本について自分が思っていることが言えない社会になってしまっているのです。老人は九五歳という年齢からして、身をもって併合時代を体験した世代でしょう。当時のいい思い出があったに違いありません。それを、ただ口に出しただけなのに、です。

ではいったい、反日教育はどのような形で行われてきたのでしょうか。

反日デモの群れの中に、親に連れられた小さな幼稚園児の姿を見るのは珍しいことではありません。

また、小・中学校の歴史教科書は、全体の約三〇％が「日本の蛮行」で埋め尽くされているとされています。それが高校となるとさらに過激度が増すさまが、韓国で日本語教師を務めた中岡龍馬氏の著書『韓国人につけるクスリ』（オークラ出版、二〇〇五年）に書かれています。

> 韓国は歴史教科書の中で、日本の罪悪について詳しく伝えている。例えばどういうふうに日本人が韓国人を殺したとか、韓国女性の性器に丸太を突っ込み、どれくらいの大きさや長さのものが入るかをテストしたとか、皮膚を剝いでどれくらい生きていられるかとか、薬品をかけて生きていられる時間を調べたとか、人体実験についで書いているそうだ。

韓国内には、独立記念館や西大門(ソデムン)刑務所歴史館などの反日施設が数多くあり、どこもジオラマや蠟(ろう)人形などを使って、リアルに日本の官憲による拷問シーンを再現しています。そして、感受性が生々しい時期の子供たちを、学校行事としてこれらの施設に連れて行くわけです。

当然のことながら、その子たちに及ぼす影響は計り知れません。批判的な目でモノを見ることなどできない子供たちは、展示されたものを素直に受け入れるしかないのです、これがはたして教育と呼べるものでしょうか。三十八度線で接している北の国と、どこが違うのでしょうか。

韓国で広く読まれているという童話の一節を紹介します。「長い一日」(孫蓮子著)と題されたものです。この童話は翻訳されて日本でも読むことができます(『日本がでてくる韓国童話集』素人社、一九九九年に収録)。

六年生のとき、担任のテラウチ先生が挺身隊の名簿に真っ先に名前をあげたばっかりに、チョルムシ姉さんは日本の兵隊たちのいる戦場につれて行かれた。十六という花もはじらう年に、真紅のリボンをひらひらさせながら泣く泣くつれて行かれた。そしてそれっきり、消息はとだえてしまった。

「アイゴー　わしのチョルムシ！　チョルムシ！や」

ねえさんのアボジは峠のてっぺんにすわって、一日中娘の名を呼んだ。そしてある日、心労でたおれ何日か寝込んだすえ亡くなった。（略）日本の刑事たちは兄さんをうしろ手にくくり、うでと背中のあいだに木製の銃をつっこんで、天井のはりにつるしたという。そして十字架のようにつるされた兄さんをぐるぐる回したそうだ。なわがいくえにもよじれてから手をはなせば、つるされたひとはぐるぐる回る。そうすればうでがよじれて悲鳴を上げて気を失ってしまうそうだ。

このような童話を親に読み聞かせられて育った子が、日本を憎まないわけがありません。教育というものの恐ろしさを実感するのは、私だけではないでしょう。

現在でも八〇歳以上の韓国人には親日家が多いのは事実です。評論家の呉善花（オソンファ）さんは、日本統治時代の生活体験を持つ韓国人に直接話を聞き、それを『生活者の日本統治時代』

（三交社、二〇〇〇年）という書籍で紹介しています。

そこでは「日本人はとても親切な人だった」「あのころはいい時代だった」という声を知ることができます。反日とは、戦後の政治的な運動にすぎなかったのではないか、と考えることができる一つの証拠です。

「親日」を公言すると韓国の社会ではまともに生きていけないという事例として、第一章でも少し触れた『親日派のための弁明』の著者である金完燮（キムワンソプ）氏の例が挙げられます。

かつて強烈な反日主義者だった金氏は、オーストラリアに留学中に英語の文献などに接して自分が習ったこととは違う歴史的事実を初めて知ったことで、歴史の見方が一八〇度変わります。

そして帰国後、親日派の立場を著作で表明し、祖国・韓国がいかにねじ曲がった歴史を教えていたかを立証したのです。ところが、出版後、金氏は裁判にかけられるなど大変な目に遭（あ）ってしまいます。

こうした、歴史を直視できない朱子学の呪（のろ）いが、今も韓国の知識人、マスコミなどを覆いつくしているといえるのです。その内実について、次の章でじっくりと見ていきましょう。

第四章

韓国人を末代まで縛り続ける朱子学の呪い

大罪四

儒学・朱子学原理主義

人間をけっして平等視しない儒教社会の限界と弊害

宗教は「見えない神」を信じること、哲学は「神抜き」で正しさを追究する学問

韓国が中国と並ぶ儒教国であることに、異論はないと思われます。そもそも儒教（その概念を先鋭化し、独善的に整理したものが朱子学です）とは、どのような考えに基づくものなのでしょうか。

まず、はたして儒教は宗教なのか、という疑問を持つ人も多いかと思います。そこで、そうしたところから考えていきましょう。

中国人や韓国人は、儒教はいかに生きるべきかという人の道を説く、いわば哲学であって宗教ではない、と認識しているようです。その理由は、開祖の孔子が神については語っていなかったからです。

孔子は「怪力乱神を語らず」と明言して、「怪力＝超自然現象」「乱神＝さまざまな神々」については言及を避けています。その姿勢を尊ぶがゆえに、儒教は神仏の教えを人々に説くのを目的とする宗教とは相容れないものだと、ごく自然に理解しているのです。

宗教と哲学。この違いを私なりに整理するとしたら、次のようになるのではないかと思われます。

宗教は合理的、論理的に考えたらけっしてあり得ないことを信じこませるもの。当然ですが、神は合理的、論理的にいくらつきつめて考え抜いても、物理的にその実在を確かめられるものではありません。

たしかに、心で感じることはできるでしょう。しかし、実際に目で見たりカメラで撮影したりすることはできません。あくまで神は「見えないもの」。ですから、神の存在を信じることさえできれば、宗教は成り立つわけです。

一方、哲学は「神抜き」です。いかに生きるのが正しいかという命題を合理的、論理的に追究する学問です。

儒教は神については語っていないし、物事を合理的に考えて論じているので、宗教ではない——。おそらく中国人や韓国人は、そう信じて疑わないのでしょうが、はたしてそうだろうか、というのが私の考えです。

「士農工商」の身分制度がいまだに有効な儒教社会

論を急ぐようですが、私は儒教は哲学ではなく、実質的には宗教だと思っています。そう考えたほうが、儒教の実態、儒教がその国の社会や歴史に及ぼした影響を正しく認識できるからです。

儒教が宗教ではなく哲学であるのなら、そこに不合理があってはなりません。言い換えれば、理屈に合わないことを正当化するようなことがあってはならないはずです。

そもそも儒教では人を分類しています。わかりやすいのは「士農工商」といわれる、職業に基づく身分制度です。いい悪いではなく、「人はこのように区別される」という

儒教の開祖である孔子（紀元前552あるいは551～紀元前479年）。現在、その教えのみならず名前そのものがブランド化し、中国共産党政府は在外宣伝機関を「孔子学院」と名付けている。

ことを前提にした、確固たる社会観です。

最上位の「士」は、儒教を学んでその教えを身につけた人。職業でいえば科挙を通った役人です（日本では武士のことを指しますが、士とはもともとは官僚、儒学者のことです）。

次が、人が生きていく上で必要不可欠な食糧を生産する「農」。次に生活のための道具を作る「工」が続き、最も下に位置するのが、自分では何も生み出さず他人が作った物を右から左に動かして金を儲ける「商」となります。

しかし、この区別は「なるほど、見方によってはそういう考え方もあるな」というだけのことであって、誰が見ても客観的、絶対的に正しいといえることではないでしょう。社会の進歩によっては、四つの職域の重要性が変化することもあるでしょうし、新たな身分が加わることもあるはずです。

たとえば民主主義という政治形態が登場すれば、人々の代表としての政治家が誕生します。彼らは王（皇帝）の下で働く役人とは違いますから、人間を四つに大別した区分外の存在となります。

現代の感覚なら、社会は商行為によって維持され活性化されるのですから、商人の存在が最下位ということにも首をかしげたくなります。

けれども、儒教は一度設定された考え方をけっして変えることはありません。先祖の決めたルール（祖法）が絶対視され、社会的状況に変化があっても、あらかじめ決定された儒教的価値観が変更されることがないのです。

孔子様が一度正しいと決めたことが、未来永遠に「正しいこと」として伝えられ続ける——。この儒教の考え方を合理的、論理的思考というのには無理があります。私が儒教を哲学ではなく宗教だと考えるのは、このことからです。

宗教にあって儒教にはない「来世」が存在するという考え

さらに、中国人や韓国人が「儒教は宗教ではない」と言い張る理由の一つに、儒教には宗教に必ずある「あるもの」がないということが挙げられます。

宗教にあって儒教にはないもの、それが「来世」が存在するという考えです。

孔子は、死後の世界については何も語っていません。

人は死んだらどういう世界に行くのか。

そこは、地獄なのか極楽なのか。

さらに人は生まれ変わるのか。

これらについて、一切を語っていません。

キリスト教やイスラム教、仏教、どの宗教でも来世の存在を認め、それを前提にして現世をいかに生きるべきかと語っているのに対し、儒教は教えのすべては現在の生活規範に帰結します。

死後どこに行くかは一切消却されて、そこにあるのは「今、どう生きるか」だけなのです。

ですから、儒教の信奉者には「そんなことをしたら地獄へ落ちるぞ」という戒め(いまし)は通用しません。落ちるべき地獄を想定していないのですから、当たり前です。

来世があるかどうかは誰にもわからない不合理なものですから、考えても仕方がない。それより今をどう正しく生きるか、だ。縮めて言えば、そういうことなのです。

こういう考えの弊害の最たるものとして、悪事を行う人間がいた場合に抑止力がなくなってしまう、ということが挙げられます。いったん悪に染まると、とどまるところを知らず、とことん悪人になってしまう……。

その上に、「一族・家族への貢献こそが、生活者としての最大の善行である」という儒教の教えが加わると、他人や国家はどうでもよくなり、一族・家族の繁栄のみを求めて突っ走ることになります。役人の汚職、企業による環境破壊……皆、そうです。死後に、生前の行為についての裁きを受けることがないのですから、いきおい現世が幸せであればそれでいい、ということになります。

宗教を頑(がん)として認めない、共産主義と朱子学の意外な共通点

ところで、来世がないということは、現世の悪行が来世で救われる、ということもないわけです。悪人は死んでも悪人。未来永劫、許される存在にはなり得ません。神の愛も仏の慈悲もないのですから、永久に罵(のの)しられ続けることになります。

こういう精神世界では、基本的には「死者を弔(とむら)う」という考えがありません。韓国内に、日韓併合条約に調印した時の総理大臣・李完用(イワニョン)の墓がないのはそのためです。「母国を売った売国奴が、あの世で名誉回復することなどできるはずがない」と、見なされ

ているのです。

日本が儒教、ことに朱子学の影響下に入るのは江戸時代からです。しかし日本は、中国・韓国で国家統治のシステムとして重要視された科挙を導入しませんでした。このことが、中国・韓国からすると日本を一段低く見ることにつながります。

事実、このことを恥じた江戸初期の朱子学者・藤原惺窩（ふじわらせいか）などは、中国に劣等感を持ち、「日本では科挙を採用しなかったため、喧嘩の強い奴が出世してしまう」と嘆いたそうです。

科挙とは、勉強して朱子学をマスターした者のみが民衆を指導する資格があるので、それに値する「士」を選ぶというオープンな試験です。合否の基準は朱子学の習熟度と理解度。安心して政治を任せられるかどうかの考査ですから、科挙という制度のない国は非文明国と見なされるわけです。

しかし、日本は科挙を採用しなかったことが、のちに幸いします。朱子学の〝毒〟に徹底して染まることを免れ、致命傷を受けずにすんだからです。

朱子学をつきつめていくと、法の下の平等とか一人一票などといった民主主義の基本原理と相容れないところが出てきます。朱子学では、人間をけっして平等視していないからです。これが、たとえば欧米だと「キリスト（神）の前ではすべて平等」という考え方が成立しているのですが、彼らにはそれがありません。

高潔な士もいれば、殺人犯もいる。優れた学者もいれば、字すら書けない愚かな人間もいる。だからこそ、合理的な基準（科挙）で能力的に優れた人を選び、その人間に無知蒙昧（もうまい）な民を統治させるほうがいいと、朱子学では考えます。

この考えが、根本的なところで民主主義の思想に反するものであることは、明らかでしょう。

それと同時に、「共産党員というエリートが愚かな大衆を指導していく」をテーゼとする共産主義思想に案外と似ていることにも気づきます。

このことが、近代以降、中国が民主化を達成することなく、二〇二〇年の現在に至ってもなお、共産党による一党独裁国家であり続けている理由の一つに挙げられるのではないかと思っています。

「神」の代わりに「天皇」を見出し、儒教を乗り越えた日本の民主化ロジック

では、近代において日本がいち早く民主化できたのは、科挙を採用しなかったことにより、朱子学の悪弊を受けなかったためだけでしょうか。私はそれだけではないと思います。

民主主義はたしかに欠陥もありますが、人類が長い時間をかけてたどりついた、現在のところ最も優れた政治体制です。民主主義にすぐさま代わるものがないことでも、それはわかります。実際、現代社会において、民主化する国はあっても、民主主義から非民主主義に移行した国は、一時的にファシズム化した場合などをのぞいて、ほとんど見当たりません。

西洋の民主主義は、国王という絶対的存在に対して民衆が異議を提示する過程から起こりました。「自分たちにも権利を与えろ!」という主張が議会制民主主義を生み、一人一票を実現させたのです。つまり、民主主義への移行は、もともと「国王」という絶

対的存在があってのこと。そのことを踏まえた上で、少し考察を進めてみましょう。

本来の朱子学では、「王者」とは徳のある人にしかなれません。徳は人間の最高の品性であり、それを有する人の周りには、引き寄せられるように有能な人間が集まってくると考えられてきました。だからこそ、彼らに政治を任せれば世は平らかに治まる、とされたのです。

理想的な政権交代は「禅譲」です。自らの血脈にこだわることなく、有徳の君主が別の有徳の君主に位を譲ることですが、禅譲は現実には行われたことはなく、常に武力で前王朝を打倒した結果、王朝の交代が起こりました。そして、そこには必ず「武力で天下を取ったように見えるが、戦いに勝って皇帝になれたのはその人物に徳があったからだ」とするロジックが生まれました。

朱子学が日本に入ってきた江戸時代、本当に忠義を尽くすべき主君は誰かと、日本人は考えました。「尊王斥覇（せきは）」が朱子学の基本理念ですから、武力で天下を取った覇者より、徳をもって天下を治める王こそが主君という考え方を日本人は理解していました。徳川将軍家は、豊臣家を武力で滅ぼしたのだから、覇者ではあっても真の王者ではない。だとしたら……。

たどり着いた答えは、日本には「万世一系の天皇」がいるではないか、というものです。幕末、水戸徳川家を中心に、この発想から「尊王攘夷」の思想が生まれました。王者＝天皇ということにしたのです。

本当のところを言えば、天皇がなぜ王者なのか、朱子学だけでは理論的に説明できないはずですが、この考え方にどこからもクレームが来ず、通用してしまいました。朱子学の本場の中国で明が滅亡し、この理論に異を唱える者がいなかったためもあるでしょうが……。

繰り返しますが、朱子学では、「人間の能力には差がある、だから万民は平等にあつかわれるべきではない、優秀な人間が劣った人間を指導してこそ世の中の秩序が保たれる」と規定しています。

しかし、人類が長い時間をかけてたどりついた民主主義の基本は、「平等」という考え方です。

この相容れない考え方を人々が納得するには、儒教の理論をどこかで強引に乗り越えなければなりません。西洋には「神」がいましたから問題はありませんでした。どんなに優れた人間でも、神の前では愚かな一人の人間にすぎない。神の前では分け隔てなく平等だ、と考えることができたからです。しかし、強国＝中国がもたらした儒教（朱子学）に国中が汚染されていた朝鮮では、民主主義思想の前提となる「平等」について理解を深めることはできませんでした。

日本はこの西洋の「神」に代わる存在として「天皇」がいるということを見出し、万民平等思想を成立せしめたからこそ、アジアの中でいち早く民主化を成し遂げ、近代化を実現できたのです。

日本と朝鮮の国民性を決定的に変えてしまった朱子学

「ほのぼの」「厳格・厳密」こそが儒教と朱子学の大きな違い

儒教と朱子学の違いも説明しておきましょう。

ご存じのように、儒教は春秋時代（紀元前八世紀〜紀元前五世紀）の思想家・孔子が考え出した思想体系で、「儒学」「孔教」とも呼ばれます。紀元前一一世紀に殷（いん）を滅ぼし、紀元前三世紀頃まで中国を統治した周の政治体制を理想としつつ、そこに中国の古代信仰である祖先崇拝を「人倫の道」として加味し、体系化したものです。

一方、朱子学は、孔子の時代から一六〇〇年以上のちのこと、南宋の朱熹（しゅき）が儒学をも

朱子学を創始した朱熹（1130〜1200）。朱子は尊称。朱子学は13世紀に朝鮮に伝わり、李氏朝鮮時代にそれまでの仏教に代わって新たな国教となった。

とに生み出した新しい思想体系です。英語では儒教を「Confucianism」（直訳すれば「孔子主義」）といい、朱子学以降の儒教を「Neo-Confucianism」といいます。つまり「新儒教」です。

孔子の話をまとめた『論語』が、朱子学でもテキストとして使われているので混乱しやすいのですが、新儒教である朱子学の教えは孔子の唱えた「旧儒教」とは、かなり違ったものとなっています。

ごく簡単に言うと、孔子の説いた儒教ではほのぼのとしていたことを、朱子学では極端に厳密化・精密化しました。

儒教の基本的な徳目として、「親孝行」があります。儒教の根本は祖先崇拝ですから まず最も身近な祖先である自らの親を大切にしなければなりません。子が親に忠節を尽くすのが「孝」で、これをあらゆる道徳の根本とし、そこから人の道のすべてが始まると孔子は規定しました。つまり、儒教では「忠」より「孝」が優先されるのです。

こんな故事があります。孟子といえば孔子に次ぐ儒教の聖人ですが、ある時、孟子が弟子から質問を受けました。

「王の父親が国の法律に反して死刑に当たる罪を犯してしまったら、王はどうしたらい

孟子（紀元前372?～紀元前289年）。儒教において孔子に次ぐ儒学者とされる。性善説を唱えた。母が孟子の勉強環境を求めて3回も引っ越しをした「孟母三遷」でも知られる。

いでしょうか?」

国王は父に対する「孝」を守るべきか、国の法律＝公に仕えるべきか、の問いです。

孟子はその質問に、こう答えました。

「その時は、お父さんを担いで法の及ばぬところに逃げなさい」

朱子学では、この考えをさらに徹底してつきつめていきます。祖先が決めたことは絶対的に正しいとして、必要以上に祖先を神聖視するようになりました。そして「祖先が決めたルールを変えてはならない」との考えに縛られ、時代に適応した施策の改善や法の見直しができなくなりました。

つまり、祖先が決めたルールを「祖法」といい、それを変えることは祖先の考えを否定すること、祖先が間違っていたと認めることになりますから、絶対にやってはいけないこと、としたのです。

こうなると、人は社会の一員であるという「公」の意識は育ちません。社会につながっているのではなく、祖先とだけつながっているのが人としての正しい道と考える。これが朱子学なのです。

朱子学にいかに精通しているかを測る官吏登用制度が前述の「科挙」ですが、問題は人間を測る尺度をそこだけに限定してしまったことです。その結果として、科挙に受かった官僚が絶対的に偉く、優れていて、それ以外の民はすべて卑しいという「官尊民卑」の考えが、社会の根底に横たわるようになりました。

こうした考えが法の下の平等、もっと具体的に言えば一人一票という人類がたどりついた、現在において最良の制度＝民主主義と相容れないことは自明の理です。朱子学に支配されている国には、そもそも民主主義が生まれる土壌そのものがないことに気づかされます。

孔子様の教えを無批判に信じる儒教こそ歴史学最大の敵

歴史のねつ造をためらいもなく平気でしてしまうのは、朱子学の悪影響です。

儒教こそ歴史学の最大の敵だと、私は認識しています。孔子は「かつては聖王が統治していた理想の世の中があった。そこに戻るのだ」と言いましたが、本当に聖王がいたのかどうかの実証的、歴史的な検証はされていません。

しかし儒教では、そんなことはおかまいなく、とにかく「聖王はいた」「孔子様が言っているのだからそうなのだ」ということになります。先祖に孝を尽くすこと、立派な先人の言を重んじることが儒教で一番重要な教えですから、批判することや疑うことなど許されません。

ご先祖様は、孝を尽くすに値する聖なる存在。自分たちの国の歴史はご先祖様が選ばれた正しい道を歩んできた。そうしなければ辻褄（つじつま）が合いませんから、いきおい「本貫（先祖の発祥の地）誇り」をすることとなり、歴史のねつ造が起きるのです。

そもそも歴史的に検証する意識がないのですから、竹島（独島（トクド））にしても、何の疑いもなく自国領だと信じるしかありません。

先祖が言っているから——。それだけで充分なのです。

韓国人の四分の一が信仰する、キリスト教と朱子学の奇妙な関係性

儒教、ことに朱子学は、歴史学の敵であると同時に、芸術にとっても「敵」です。社

会のあり方を一律、画一的なものに同一化し、あらゆるものが統一化された社会に、はめこんでいくからです。

多様性の下で生まれる芸術と朱子学が相容れないのは理の当然。だから朝鮮では「芸術などは人間のクズのやること」と排除の対象となり、人間が生きていく上で芸術、技芸、芸能などはムダなものと見なされてきました。

事実、日本の茶道、華道、浮世絵とか能、歌舞伎といった、いわば自国の文化に当たるものは、李氏朝鮮時代には生まれませんでした。

日本の高額紙幣には文化人の肖像が印刷されていますが、韓国の一〇〇〇ウォン札には、李退渓（一五〇一～一五七〇年）の肖像が印刷されています。朱子学を完成させた朝鮮の偉人です。

日本と朝鮮の国民性を決定的に変えてしまった最大の要因も、朱子学にあります。高麗王朝（九一八～一三九二年）の頃は仏教国でしたが、李氏朝鮮は仏教を弾圧して朱子学で固めた国作りをしたのです。

李氏朝鮮は、ほぼ日本の室町時代から明治維新までの約五〇〇年の長きにわたり、仏教を排し、陽明学などの儒教の別派を退けて、朱子学という巨大なローラーで全土を圧し固めました。
朱熹の著した『文公家礼』（冠婚葬祭の手引書）を信奉し、朝鮮古来の礼俗や仏教儀礼を儒教式に改変して、いわば国家ぐるみで朱子学への総宗旨替えを行ったのです。

事実、このようなことがありました。

李氏朝鮮時代の初期には全国に一万以上の寺院がありました。しかし、一五世紀末には大部分が破壊され、仏像も破棄され、寺院の所有地、所有田、奴婢はすべて没収され、僧侶は都であるソウルに入ることを禁じられます。

それでも足りず、僧侶は賤民を構成する身分に落とされ、寺院はわずかに一八だけ、宗派は最終的には禅門の曹渓宗だけが国家管理の下に残されました。平地の寺院はすべて破壊され、山の中へと追いやられてしまったのです。

先祖を見習って正しく生活し、現世での幸福と利益と寿命を重んじる朱子学の影響は、思わぬところにも見出せます。

韓国ではキリスト教がとても盛んで、信者は人口の四分の一を超えているといわれます。反日思想がそれを推進したということらしいのですが、統一教会（世界平和統一家庭連合）などキリスト教の枠を超えてしまった宗教もあります。つまり、朱子学の世界観に寄り添って、キリスト教も〝曲解〟されてきた側面があるのではないでしょうか。

第五章

未来のために「反日種族主義」をどう乗り越えるべきなのか

ウソの上塗り社会

歴史の真実が次々明らかになる今こそ日本人、韓国人が持つべき視点

老舗の誕生をとことん阻害する「孝」より激しい職業蔑視

儒教（朱子学）で重要とされるのは、とにかく思索して、哲学して人生や政治を考えるということです。その対極にあるのが、体を動かすこと。だから韓国では、手仕事がバカにされてしまいます。

韓国文化の特徴の一つと言われるのが、一つのことに代々打ち込み続けてきた老舗（しにせ）というものがないことです。一方、日本には、京都で何百年やっている和菓子屋とか、奈良には世界一古い建築会社金剛（こんごう）組など数多くあります。

日本では、今でも「この技術については日本一」といったことが自慢になりますし、「日本一の職人選び」といったコンテストをしきりにやっています。こういう行事を初めてやったのは織田信長ですが、この手のものを尊重する文化が脈々とあるわけです。日本の社会では、一芸を持つ名人が尊重され続けてきたといえるでしょう。

こうしたことは、韓国では絶対ありえないことです。たとえば、ものすごく優秀な菓子職人が一代で大店を築いたとしましょう。けれどもその人は、息子を大学に行かせて官僚にしてしまいます。

朱子学の基本の「親に孝を尽くす」ということからすれば、首をひねりたくなる現象ですが、朱子学には抜きがたい職業蔑視があって、今でもその考えが人々を支配しているのです。だから老舗が育ちません。

物を作る「工」はまだいいほうで、商売というものを儒教はさらにバカにします。「あいつらは何も作ってないくせに、人が汗水流して作った物を右から左に回して稼いでやがる」と蔑まれるわけです。

この考えは、資本家は悪だとする共産主義思想と合致するところがあります。前の章で詳しく説明したように、儒教の遺風に染まっていた中国に共産主義国家が生まれた源泉がここにあります。

朱子学が蔑む商売を、国と国とでやるのが貿易です。一五世紀の明の時代に鄭和という海軍の大提督が、東アフリカへの航路を発見しました。

約一〇〇年後のクリストファー・コロンブスがそうであったように、航路の発見は通常、貿易ルートの開拓につながります。ところが、時の永楽帝は貿易禁止令を出していたので、せっかくの航路は活用されませんでした。

「商売は人間のクズがやることで、儲かるからいいというものではない」

このように考えていたのです。

南シナ海、インド洋を経ての東アフリカへの到達ですから、交易路として利用していたら明はさらなる大国になっていたはずでしょうが、そうはなりませんでした。儒教が邪魔をしたといえるでしょう。

現在、習近平国家主席が強引に事を進めている「一帯一路政策」は、中国からアフリカに至る大貿易圏を作ろうとするものですが、もしかしたらこれは鄭和によって六〇〇年も前にできていたかもしれないのです。朱子学の軛さえなければ、明はスペイン、ポルトガルやイギリスを上回る世界交易の大帝国になっていて、今頃は英語ではなく中国語が世界の公用語になっていたかもしれません。

民主主義陣営に属するべきなのに、北朝鮮の体制に憧れてしまうという過ち

韓国はこれからどうなっていくのか。

この問いには複雑な要素が絡んでいて、答えを出すのはきわめて難しいのですが、韓国の悲劇は、本来は民主主義陣営に属するべき国なのに、前出したような儒教の弊害もあって、北朝鮮の体制に憧れてしまうという過ちを犯したことです。しかも、それを国民に向けて教育してしまいました。

そういう、国を挙げての間違った政策に対して、保守派（真の「民主派」と言ってもいいと思いますが）は、「このままでは国が滅びるぞ」と命を賭けて警告しているわけです。「歴史を正しく認識して、国民を洗脳から解き放て」との主張です。『反日種族主義』の李栄薫教授などが、そういう勇気ある人々の代表です。

もちろん、韓国の中にも国の進むべき道のきちんとした見通しを持ち、確固たる哲学

を兼ね備えた人はいます。ですから、日本もそういう人たちが増えていくように応援をしていくべきでしょう。

『反日種族主義』のプロローグに書かれているのは、「韓国というのはウソで固めた国である」ということです。

とても重要だと思われますので、そこの部分を引用しておきます。

（略）奴隷として強制連行されたとか酷使されたという今日の通念は、一九六五年以後、日本の朝鮮総連系の学者たちが作り上げたでたらめな学説が、拡散した結果に過ぎません。

嘘が作られ拡散し、やがて文化となり、政治と司法を支配するに至った過ぎし六〇年間の精神史を、何と説明したらよいのでしょうか。人が嘘をつくのは、知的弁別力が低く、それに対する羞恥心がない社会では、嘘による利益が大きいためです。嘘をついても社会がそれに対し寛大であれば、嘘をつくことは集団の文化として広がって行きます。ある社会が嘘について寛大だと、その社会の底辺には、それに相応する集団の心性が長期にわたって流れるようになります。

38度線付近にある都羅山展望台。2000年以降、計画が進められた南北朝鮮間を結ぶ京義線の駅もある。もちろん、現状は未開通。

ウソは必ずバレるものですから、その過程で必ずや文在寅大統領などという人はどんどん力を失っていくはずです。

「このままでは未来はない。韓国は崩壊してしまう」という危機感さえあれば未来は開けるでしょう。言うまでもなく、「公より孝が大事」という儒教の悪いところをなくしていく努力も同時に必要ですが……。

民主主義というのは、長い時間をかけて人類が到達した中で、現在のところ最も誤りの少ない政治制度です。過ちがまったくないとは言えませんが、その他の政治制度より完成度が高く、優れていることはたしかです。

韓国もそのレールに乗れるように、日本はそのお手伝いをすべきなのです。それが結局、隣国である日本のためにもなります。

今、韓国の肩を持つようなことを主張している日本の大新聞のジャーナリストや新聞御用達の評論家などは、そのことが全然わかっていません。文在寅政権をのさばらしておけば、次代もまた同じことを繰り返すということが、彼らはなぜ想像できないのでしょうか。

「徴用工問題でも散々粘っていたけれど、結局は妥協したではないか」

「俺たちの言っていることが正しいと、言うことを聞いたではないか」

必ずやこういう感じで、韓国は自らの勝手な言い分をエスカレートさせるに違いありません。

国会議長だった人物が「天皇に謝罪させろ」と言うのは、その発言の背後に国民の支持があるからこそです。「まさこ」妃を捕まえて土下座させろといった小説が国民に読まれている背景がまずあって、その主張に同意する人たちから一票を投じられた人が国会議員になっていくわけです。

反日を主張する政治家の発言は、特殊な発言ではありません。そこのところを深く留意すべきです。

日韓併合をめぐり求められる歴史の真実との向き合い方

人のふり見て我がふり直せ、と言いますが、日本も以前はいわゆる進歩的ジャーナリストと呼ばれる人たちが「ソビエトは労働者の天国だ」などと、デタラメなことを言っていました。

あるいは、おびただしい数の犠牲者を生んだ文化大革命を「人類の大偉業」と言ったり、「北朝鮮は拉致などしていない」としたり……。ある時期までは、そういう意見のほうが優勢だったのです。

ちなみに私の手元に、一九五五年に発行された『ソ連・中国の旅』（岩波写真文庫）という小冊子があります。文化使節団としてソ連、中国に招かれた京大教授でフランス文学の第一人者として知られた桑原武夫氏が、日本人を啓蒙すべく現地の様子をレポートしたものです。

国家から招待された公式の訪問記ですから、悪い話や噂を書くはずはありません。ですが、「それにしてもここまで書くか……」というくだりが随所に見受けられます。たとえば、次のような描写です。

　北京は実に清潔になった、と私たちのうちで二度目のひとはみな驚いていた。じじつ街に紙くず一つ落ちていず、ハエは滞在中一ぴきも見なかった。（略）

私はホテルの部屋にカギをかけたことがない。泥棒とパンパン（引用者注：売春婦のこと）はいない。そういうと絶対主義的発想法を好む若干の日本人がすぐ問いかえす。誰さんがどこそこで一人パンパンを見つけたというがどうか、と。武漢市民生局が率直に私にいった。ここの「新生婦女教養院」に二百九十七人の売笑婦を収容して、治療と教育を行って出所させたが、そのうち七人がまた悪に走って再収容されたのは恥かしいと。中国全土に百や二百のパンパンがいないとはいわない。しかし六億の人口を考えれば、それはいない、といってよいと相対主義者の私は考える。

桑原氏は日本からは文化勲章を、フランスからはレジオンドヌール勲章を受けたほどの学者です。それが「六億の人口を考えれば、それはいない、といってよいと相対主義者の私は考える」と述べているわけです。ある時期、日本ではこのような偏った報道や言説がまかり通っていたことはたしかでした。

私は、『反日種族主義』に書かれているようなことをずっと昔から主張してきましたが、そういう少数派の発言は、「右翼だ」とか「ウソつきだ」などと言われて退けられてきました。けれども、時間はかかるかもしれませんが、本当のウソは徐々に徐々にバレてくるものです。

その大きな分岐点の一つは、二〇〇二年の小泉訪朝でした。金正日総書記に「やっぱり拉致をやっていました」と認めさせたことで、いわゆる進歩的文化人の言っていたことがすべて崩れたわけです。ベルリンの壁が壊れた時のように、あそこが歴史の分岐点だったと思います。

もう一つの分岐点が、『反日種族主義』のような本が韓国でもベストセラーになったことです。多くの人がこの本を読んで、自分が今まで教えられたことは何だったのだろう、あれはウソだったのかと、疑いの目を持つようになりました。

人は何かのきっかけがあれば目覚めるものですから、この本はまさに〝啓蒙の書〟なのです。人は漠然とした疑問を抱えていては生きていけません。海外に出る人も多いし、インターネットを通じていくらでも正しい情報は入手できます。

「そう言われてみれば思い当たる節がある。死んだおじいちゃんはそんなこと言っていなかった」と振り返ることになるのです。

韓国人、特に若い人はかなり英語ができるので、英語の文献を読めば、どちらの主張が正しいか、おのずと判断できると思います。

『反日種族主義』の中では、次のような実証がなされています。

韓国は終戦間際まで半島から強制的にどんどん日本へ母国民が連行された、としていましたが、一九四五年四月以降、玄界灘の制海権は米軍に握られていたので、現実的には日本の船が海を渡るのは不可能だったのです。無論、日本の軍隊も部隊移動はできませんでした。

このように歴史的事実をもって立証されれば、教えられたことがウソだと誰でもわかるのではないでしょうか。

要は、「日本にはこんなにひどいことをされた」と、独立前を悲惨な状態にむりやりにでも落とし込まないと、独立以後の国のありようが国民に対して説得力を持たなくなってしまう、ということなのです。

では、日韓併合のすべてが正しかったかというと、それも違います。韓国側に立って考えてみると、アイデンティティを否定されてしまう政策も多々ありました。良かれと思ってしたことが、そうは受け取ってもらえないこともあったわけです。

第一章で、山本七平氏の著書『洪思翊中将の処刑』を引き合いに説明した「創氏改名」も、その一つです。

朝鮮人も日本人になれば、区別がつかなくなって差別のしようがなくなる、同化してしまえば、皆同じになって日本人同士だから仲良くできると考えた末の、良かれと思ってのことでした。ところが、それは彼らからすれば大切な自分たちの文化が否定されることとなり、許せることではとうていありません。

このように、民族文化、固有の文化の破壊をともなう政策は、強い反感を買うことになります。日本は気づかなかったのです。日本語と朝鮮語を両方とも国語にするなら良かったのですが、併合末期には日本語に統一してしまったのも同例です。

しかしながら、「中国の属国のままで奴隷状態にいるよりは、日本クラブに入るしかない」と考える人たちがいたことも事実なのです。そこのところを意図的に隠してしまっては、歴史の正しい理解など、いつまでたってもできません。

正しい歴史の検証を試みた『反日種族主義』の読み解き方

思い込みと知ったかぶりと曲解だらけのベストセラー書評

韓国のマスコミほどではないとしても、日本のマスコミもかなり偏(かたよ)っていると私は長い間思っています。

中年以上の方なら覚えているでしょうが、ニュースで北朝鮮に言及する場合、「北朝鮮・朝鮮民主主義人民共和国」と、そのたびにいちいち長ったらしく言っていました。このように発信しないと、アナウンサーは叱られたからです。

これは、北朝鮮への〝尊敬の念〟がどこかにあったからそうしたのでしょう。今はどの局も新聞もやっていませんが、そういう時代がたしかにありました。

それを言うなら韓国だって「韓国・大韓民国」と、正式名称をつけて言わなければならないはずなのに……。マスコミとは、ことほどさようにいいかげんなものなのです。

また、こういうこともありました。北朝鮮がミサイルを撃った時などの後に、必ず北朝鮮系の朝鮮学校に通う女子学生が、電車の中でチマチョゴリを切られるという事件が大きく報道されました。けれどもこれに関して、犯人が捕まったためしがありません。

「少し変だな」と思って、私は右翼の人に「そういうことを本当にするのか」と聞いたことがあります。すると、答えが返ってきました。

「バカなことを言うんじゃない。われわれは男と喧嘩することはあるが、か弱い女性を痴漢みたいにカミソリで切るなんて陰湿なことは絶対しない」

これなども思い込みが先行した、誤報道の類だったのではないでしょうか。


最近接した例では、『反日種族主義』が日本でもベストセラーになっている現象を受けての週刊誌の特集記事（「週刊文春」二〇一九年十二月十九日号）があります。

大新聞の元ソウル支局長なる人物が、「本書は政治闘争のための本だと言える」とした上で、次のように述べたのです。

「保守派は現実路線では進歩派に太刀打ちできない。いわばリングのコーナーに追い詰められた保守派の弱小勢力からの文政権への反撃の一手」

「そのため、本書は敵意むき出しの言葉であふれている」と。

正しい歴史を伝えようとの思いで、実証的研究を公表した学術書を曲解して、あえておとしめているとしか思えない見解です。

さらに、「書かれている内容は、既存の研究で明らかにされてきたものが大半です」とも述べていますが、日本人の誰もが知らないことが書かれていたからこそ、ベストセラーになったわけです。第一、知っていたのならジャーナリストであるあなたが書くべきだったのでは、と思ってしまいます。

日本の大新聞のジャーナリストは、歴史をねじ曲げる韓国の異常性といったものを、今まで報じてきませんでした。それなのに「こんなことくらい、俺は知っていたよ」といったニュアンスのことを、今になって後出しジャンケンのように言っても恥ずかしくないのでしょうか。

ウソの文化、政治、学問、裁判を深く憂慮する警告の書

古い話になりますが、田中角栄失脚のきっかけは外国人記者クラブでの会見でした。ところが、その時も日本の新聞は「あんなことなど、俺たちはみんな知っていた」ということを言っていたのです。

それなら書けばよかったではないですか。こういうことが、なぜ頻繁に起きるのでしょうか。それはそもそも、そういう精神的風土があったからではないか、という気がしてなりません。

前述の『ムクゲノ花ガ咲キマシタ』も『皇太子妃誘拐事件』も、韓国で大ベストセラーになっていた事実を報じてこなかったのは、なぜなのでしょうか。その理由は、これを表に出せば日韓の喧嘩にならざるを得ず、そのあたりを忖度(そんたく)してのことであったのではと、私は勘繰(かんぐ)っています。

私はよく講演の際に「『ムクゲノ花ガ咲キマシタ』を知っていますか?」と聞くので

2017年、ソウルの中心部に設置された、まさに「反日種族主義」の象徴の一つといえる徴用工像。こうした像を超える「韓国の理性」のさらなる出現が待たれる。

すが、知っているのは、日本人一〇〇人のうち、わずかに一人か二人だけです。『反日種族主義』より、はるかにさかのぼる二〇〇二年に韓国で出版された『親日派のための弁明』は、衝撃の書として大きな話題となりましたが、日本では余り報じられずに知る人は少ないままで終わりました。伝えるべきことを伝えてくれなかった恨みが残るところです。

話題の書『反日種族主義』を読まれた方も多いでしょうが、プロローグ部分で本全体の内容を的確に要約している部分がありますので紹介しておきます。この本が書かれた意図がこの数行でわかります。

韓国の民族主義は、西洋で勃興した民族主義とは別のものです。韓国の民族主義には、自由で独立した個人という概念がありません。韓国の民族はそれ自体で一つの集団であり、一つの権威であり、一つの身分です。そのため、むしろ種族と言った方が適切です。隣の日本を永遠の仇と捉える敵対感情です。ありとあらゆる嘘が作られ広がるのは、このような集団心性に因るものです。すなわち反日種族主義です。これをそのままにしておいては、この国の先進化は不可能です。先進化どころか後進化してしまいます。嘘の文化、政治、学問、裁判はこの国を破滅に追いやることでしょう。

国を思う気持ちゆえに、正しい歴史の検証を試みた警告の書であるということを告白しているのが、よくわかります。

われわれ日本人は、こうした「韓国の理性」と強く連帯していくべきでしょう。

著者略歴

井沢元彦（いざわ・もとひこ）
1954年、愛知県生まれ。早稲田大学法学部卒業後、TBSに入社し報道局に勤務。80年、『猿丸幻視行』（講談社）で第26回江戸川乱歩賞を受賞。退社後、執筆活動に専念し、歴史推理小説の分野で活躍する一方、日本史と日本人についての評論活動を積極的に展開。歴史についての鋭い考察は「井沢史観」と称される。
ベスト＆ロングセラーとなっている『逆説の日本史』『逆説の世界史』『日本史真髄』（以上、小学館）、『学校では教えてくれない日本史の授業』（PHP研究所）、『動乱の日本史』（KADOKAWA）など著書多数。

P29、97、103、107写真：『こんなに明るかった朝鮮支配』（但馬オサム）より

崩れゆく韓国

2020年3月16日　第1版発行
2020年5月12日　第2版発行

著　者　井沢元彦
発行人　唐津 隆
発行所　株式会社ビジネス社
〒162-0805　東京都新宿区矢来町114番地　神楽坂高橋ビル5階
電話　03(5227)1602（代表）
FAX　03(5227)1603
http://www.business-sha.co.jp

印刷・製本　株式会社光邦
カバーデザイン　中村聡
本文組版　茂呂田剛（エムアンドケイ）
営業担当　山口健志
編集担当　大森勇輝

ISBN978-4-8284-2167-4